CW00644024

Ein Freund wie kein anderer

Oliver Scherz, geboren 1974 in Essen, ist Kinderbuchautor und ausgebildeter Schauspieler. Er hat das Schreiben für Kinder mit der Geburt seiner Tochter für sich entdeckt und lässt sich seitdem immer wieder aufs Neue vom eigenwilligen, fantasievollen Blick von Kindern auf die Welt überraschen und beflügeln. Wenn er etwas von ihrer Lebensfreude und Unverstelltheit in seinen Büchern wiederfindet, hat er das Gefühl, dem Wesentlichen ein Stück näher gekommen zu sein. Oliver Scherz lebt mit seiner Familie in Berlin.

www.oliverscherz-autor.de

Barbara Scholz, 1969 in Herford geboren, machte zunächst eine Ausbildung zur Druckvorlagenherstellerin. Anschließend studierte sie in Münster Grafik Design mit dem Schwerpunkt Illustration. Seit 1999 arbeitet sie als freie Illustratorin. Für ihr Bilderbuch »Verflixt, hier stimmt was nicht« wurde sie mit dem Buxtehuder Kälbchen ausgezeichnet.

Oliver Scherz

Ein Freund wie kein anderer

Mit Bildern von
Barbara Scholz

Thienemann

Für

Juli und Michel,
Lieselotte und Frieda,
Kasimir und Benno

Inhalt

Habbis Geheimnis

Habbi drehte sich im Laufen um. Seine Mutter Hieme stand hoch aufgerichtet am Eingang des Baus und rief ihren Kindern warnend hinterher: »Wenn ein Falke über euch fliegt, verschwindet unter der Erde. Hört ihr? Und haltet die Ohren offen! *Kojoten* schleichen auf leisen *Pfoten*! Vergesst das niemals!«

Dann war sie hinter hohen Sträuchern verschwunden.

Vor Habbi leuchteten Blüten, Büsche und Bäume in der Sonne auf und in der Ferne sah er grün bewachsene Berge.

»Komm, wir laufen bis zum Waldrand …«, sagte sein Bruder Hebbe direkt hinter ihm. »Die Waldbeerenhecke ist am weitesten weg vom Bau …«

»Die kennen wir doch längst!«, rief Habbi. Er wollte neue Schätze für seine geheime Sammlung finden. Und

die lagen meistens abseits der ausgetretenen Futter-
pfade, die die Erdhörnchen jeden Tag nahmen. »Wir er-
kunden lieber den Wald!«

»Das dürfen wir nicht!«, flüsterte Hebbe.

»Aber ich war noch nie im Wald.«

»Weil wir es eben nicht dürfen!«

»Trotzdem.« Habbi sprang hinter einer Vogelfeder
her. Der Wind ließ die Feder auf und ab tanzen. Mal
flog sie höher, mal direkt vor ihm. Und als sie endlich
am Ufer eines Baches zu Boden sank, lagen da noch weitere Schätze.

Habbi stopfte eine Besonderheit nach der anderen in seine Backentaschen.

»Guck, wach ich gefungen hag!!«, nuschelte er und spuckte die gesammelten Wunder vor seine Füße. »Hier, in dem Stein ist eine Fliege, Hebbe!!« Er hielt sich einen durchscheinenden, goldgelben Stein vors Auge und drehte sich zu seinem Bruder um. Aber Hebbe war gar nicht mehr hinter ihm. Er hatte sich in Luft aufgelöst.

»Hebbe?!«

Habbi ließ den Stein sinken. Erst jetzt merkte er, dass er den Erdhörnchen-Weg längst verlassen hatte und auf einer Lichtung im Wald gelandet war.

Kojoten schleichen auf leisen Pfoten, schoss es ihm

9

durch den Kopf. Aber mit seinen aufgestellten Ohren hörte er nur Käfersummen und Vogelgesang.

Schnell stopfte er die bunte Feder, ein leeres Schneckenhaus, den goldgelben Stein mit der Fliege und ein Stück Eidechsenschwanz zurück in die Backentaschen. Wenn er alles gut verstaute, gab es darin noch für zwei bis drei weitere Wunder Platz. Oder für ein paar Beeren.

Vielleicht sollte ich besser zu Hebbe zurück und mit ihm Beeren sammeln, überlegte Habbi, während er neugierig beobachtete, was der Waldbach an ihm vorbeitrieb. Ein Blatt ... einen Baumsamen ... einen schillernden Libellenflügel! Habbi rannte sofort hinterher. Wenn er so einen in seiner Sammlung hätte! Er könnte ihn nachts unter seinem Heulager hervorziehen und schauen, ob er auch im Dunkeln schillerte!

Habbi überholte den Libellenflügel, wartete kurz am Ufer und langte in den Bach. Doch so oft er das auch wiederholte: Außer nassen Pfoten zog er nichts aus dem welligen Wasser.

Also hastete er weiter dem Flügel nach, stolperte über seine eigenen Beine, vergaß alles um sich herum. Er wunderte sich nicht über das tiefe Rauschen, das er für das Rascheln der Blätter in den Baumkronen hielt. Er nahm kaum wahr, wie das Rauschen lauter und lauter wurde. Bis er aus dichtem Gestrüpp hervorsprang und der Wald auf einmal endete.

Beinahe verschluckte Habbi seine gesammelten Schätze: Direkt vor ihm war die Welt wie abgebrochen. Bäume lagen entwurzelt und hinabgerutscht auf einem steilen Geröllhang. Ganze Felsbrocken waren nach unten gefallen und zersprungen!

Das Rauschen war zu einem dröhnenden Donnern angewachsen: Der Bach trug Habbis Libellenflügel zu ei-

11

nem großen, reißenden
Fluss. Weniger als hun-
dert Schritte entfernt stürzte der Flügel mitsamt dem großen Fluss in die Tiefe.

Das muss das Ende der Welt sein, dachte Habbi erschrocken.

Jedem Erdhörnchen-Kind wurden die Geschichten
vom Ende der Welt erzählt, wo ein gefräßiges Untier darauf wartete, einen mit donnerndem Gebrüll in die Tiefe
zu ziehen. »Deshalb dürft ihr niemals die Erdhörnchen-
Wege verlassen! Denkt an das Untier!«, hatte die Mutter
Habbi und seinen Geschwistern oft genug eingeschärft.

Habbi wagte trotzdem einen Blick über die Kante.
Weit unten traf das Flusswasser tosend auf einen See
und wurde zu weißem Schaum. Unzählige Tröpfchen
schwebten in der Luft darüber und leuchteten in einem
bunten Regenbogen auf.

Der Wasserfall war zwar beängstigend groß, wie
ein Untier sah er jedoch nicht aus. Dafür war er viel
zu schön. Lange schaute Habbi gebannt zwischen dem
weißen Schaum und dem Regenbogen hin und her.

Schließlich blieb sein Blick auf dem See hängen, weil
er glaubte, seinen Libellenflügel auf dem Wasser schil-
lern zu sehen.

Vorsichtig machte er ein paar Sprünge das Geröllfeld

hinab. Da löste sich plötzlich ein Stein. Bevor Habbi sich festhalten konnte, riss der eine Stein noch weitere Steine mit sich und Habbi rutschte den Hang hinab. Er stolperte, überschlug sich, kugelte immer weiter.

Am Fuß des Geröllfelds prallte er mit Wucht gegen etwas Weiches und zu seinem großen Glück nicht gegen den schweren Felsblock, der direkt dahinter aufragte.

Er taumelte zurück und sah vor sich ein großes Tier mit dichtem grau-schwarzen Fell.

Einen Kojoten hatte Habbi schon einmal gesehen. Das Tier hier hatte auch eine längliche Schnauze und einen buschigen Schwanz wie ein Kojote. Es war allerdings viel größer! War das vielleicht das Untier?!

Langsam öffnete es jetzt seine Augen. Sie waren glasklar und grün wie einer der bunten Steine aus Habbis Sammlung. Regungslos verharrte Habbi auf sei-

nen Hinterbeinen. Auch das grau-schwarze Tier beweg-
te sich nicht. Dabei hätte es nur einen kurzen Satz machen müssen, um ihn mit seinem Maul zu packen!

Vor Schreck sprang Habbi in die Höhe. Dann rannte
er das Geröllfeld hinauf. Erst rückwärts und nach einer
blitzartigen Drehung vorwärts. Fast genauso schnell,
wie er den Abhang nach unten gekugelt war, bewältig-
te er den Weg nach oben.

Er jagte in den Wald hinein, erkannte zu spät, dass er
gar nicht wusste, in welche Richtung er lief, irrte zwischen Baumriesen umher, bis er endlich den kleinen
Bach wiederfand, an dessen Ufer er entlanghetzte. An
der Stelle, an der er den goldgelben Stein mit der Fliege entdeckt hatte, folgte er dem Geruch seiner eigenen
Spur und stieß kurz danach auf den rettenden
Futterpfad.

Kein Erdhörnchen war dort mehr zu sehen. Denn als Habbi dem Dorf entge-
genrannte, ging bereits die Sonne
unter.

Seine Mutter Hieme stand hoch aufgerichtet vor dem Eingang des Baus,
genau so wie Stunden zuvor.

Habbi sah, wie sich ihre Sorge erst in
große Erleichterung und dann in ebenso

großen Ärger verwandelte. Sobald sie ihn zu fassen bekam, zog sie ihn in den Bau.

»Du weißt genau, dass ihr nach Hause kommen sollt, bevor die Sonne hinter dem Wald verschwindet!!«

Habbi war so froh, die Stimme seiner Mutter zu hören, dass ihm das Schimpfen nichts ausmachte.

»Nachts lauert da draußen der Vielfraß! Und die Eulen sehen schärfer als wir bei Tag!« Hieme strich sich über die fast kahle Stelle an ihrem Hinterkopf, an der sie immer ihr Fell raufte, wenn sie sich um ihre Kinder sorgte. Dann zog sie ihren Sohn weiter durch die Gänge zur Schlafhöhle.

Hier roch es nach warmem Heu, Sicherheit und dem vertrauten Duft der Geschwister. In der Mitte hockte Habbis Schwester Humma, die mit ihrem Winterspeck schon jetzt die halbe Schlafhöhle ausfüllte. Sie knabberte an ihrem Heulager, während sich drei weitere Geschwister an ihrer Wampe wärmten.

Hebbe rutschte ungeduldig neben ihnen hin und her, als warte er darauf, seinen Bruder ausfragen zu können. Aber noch glättete die Mutter Habbis zerzaustes Fell ausgiebig mit ihrer Zunge.

Habbi ertrug es bis zum Schluss und ließ sich nicht anmerken, wie sehr ihn die blauen Flecke von seinem Sturz schmerzten.

Zum Glück fielen sie seiner Mutter nicht auf und sie stellte ihm auch keine Fragen.

»Gut. Du bist fertig für die Nacht«, sagte sie nur und Habbi lächelte so erleichtert und breit übers ganze Gesicht, dass seine Schätze aus den Backentaschen zwischen den Zähnen hervorguckten.

Schnell schloss er sein kleines Maul wieder und hielt es mit den Pfoten zu. Nichts durfte ihm herausrutschen! Kein Stein, kein Eidechsenschwanz. Vor allem auch kein Wort! Er hatte ja noch so viel Größeres zu verbergen als die kleinen gesammelten Heimlichkeiten. Niemals

17

durfte seine Mutter erfahren, dass er am Ende der Welt gewesen war, dem verbotensten Ort, den es für junge Erdhörnchen gab!

Hieme schob ihn auf sein Heulager und holte ihre gerollten Blütenkugeln hervor. »Ein kleiner Stopfen für den Nachthunger«, sagte sie und legte jedem eine Kugel in die Pfote. Dann kuschelte sie sich für eine Weile zwischen ihre Kinder und erzählte ihnen eine Geschichte über Butterblumen, die sie längst kannten und die so langweilig war, dass sie eigentlich darüber hätten einschlafen müssen.

Doch als die Mutter endlich auf ihren müden Beinen aus der Höhle wankte, um den Eingang des Baus zu bewachen, flüsterte Hebbe seinem Bruder drängend ins Ohr: »Wo bist du gewesen?!«

Habbi wollte zu gern darüber reden, was er erlebt hatte! Die ganze Zeit ging ihm das grau-schwarze Untier durch den Kopf.

Aber Hebbe behielt nicht einmal die kleinsten Kleinigkeiten für sich. Selbst wenn sie bloß verbotenerweise an einer vergorenen Beere geleckt hatten, erzählte er jedem davon. Das Untier am Ende der Welt musste Habbis Geheimnis bleiben!

»Ich … hab mit der Vogelfeder an einem Bach gespielt«, flüsterte er.

»Und wieso hast du ausgesehen wie nach einem Wieselangriff?«

»Wegen … der Feder. Ich hab mich mit ihr über den Boden gewälzt.«

»Glaub ich nicht!«, zischte Hebbe. »Wetten, da war noch was anderes!« Er rückte näher an seinen Bruder heran: »Nimmst du mich mal mit zu dem Bach?«

Habbi sah beklommen zur Decke und sagte nichts.

Da wurde es Hebbe gleich wieder zu unheimlich. »Oder vielleicht lieber nicht. Eigentlich dürfen wir die Futterwege ja gar nicht verlassen.« Er kuschelte sich schnell ins wärmende Heu und blinzelte Habbi verstohlen an. »Ich war heute bei der Waldbeerenhecke …«, flüsterte er stolz wie nach einem großen Abenteuer.

Kurz darauf fielen ihm die Lider zu. Er war eingeschlafen, wie die anderen auch, und Habbi blieb mit seinem Geheimnis allein.

Leise holte er seine neuen Schätze aus den Backentaschen und schob sie zu den anderen unter sein Heulager.

Dann legte er sich wieder hin und dachte an das Untier. Es musste ein Wolf sein, wurde ihm schaudernd bewusst. Seine Mutter hatte einmal Geschichten über Wölfe erzählt. Sie sind die großen Brüder der Kojoten, hatte sie gesagt. Sie sind die grauen Schatten des Waldes.

Habbi verstand nicht, warum er dem Wolf hatte entkommen können. Seine Haare stellten sich auf, wenn er an das Wolfsmaul dachte, an die schwarz-glänzende Schnauze, die glasklaren grünen Augen, den struppigen Schwanz, das Geröll auf dem Bein ...

Habbi schreckte hoch. Plötzlich erinnerte er sich an das Wolfsbein, das er vorhin vor Angst nicht richtig wahrgenommen hatte: War es unter dem Geröll begraben gewesen?! Jetzt sah er den Steinhaufen, der sich auf dem Hinterbein des Wolfs getürmt hatte, wieder klar vor sich! Der Wolf hatte nicht einfach dagelegen und geschlafen! Er war eingeklemmt und gefangen, vielleicht sogar verletzt! Deshalb hatte er sich nicht auf ihn gestürzt!

Als Habbi sich vorstellte, seine eigene Pfote läge unter einem Berg von Steinen begraben, zuckte er zusammen. Ganz deutlich fühlte er den Schmerz, den der Wolf haben musste.

Er wälzte sich hin und her und fragte sich, ob ihn die grünen Augen böse oder traurig angeschaut hatten. Fast war er sich sicher, dass es traurige Augen gewesen waren! Und diesen traurigen Blick konnte er nicht mehr vergessen. Was würde passieren, wenn niemand das Bein von den Steinen befreite?

Er kann doch nicht einfach dort liegen bleiben!, dach-

te Habbi entsetzt, auch wenn ein Wolf ein Wolf war. Irgendjemand muss ihm doch helfen!

Die ganze Nacht fand Habbi keine Ruhe mehr. Am frühen Morgen klopfte sein Herz besonders schnell. Denn da kam ihm die ungeheuerliche Idee, dass er selbst dieser Jemand sein könnte …

Ein Wolf auf drei Beinen

Übermüdet lief Habbi hinter Hebbe über den Futterpfad. Seine Gedanken schossen kreuz und quer durcheinander wie die Äste der verwachsenen Waldbeerenhecke. Die Erinnerung an das eingeklemmte Wolfsbein, die Warnungen seiner Mutter und ihre Geschichten vom Ende der Welt kreisten in seinem Kopf.

Er ließ sich zurückfallen, bis seine Füße wie von allein an derselben Stelle wie gestern vom Futterpfad abkamen.

Der Wald war angefüllt mit fremden Geräuschen. Ein kratziges Kreischen, krachendes Holz, das Stampfen von Hufen. Geduckt folgte Habbi dem Lauf des Bachs.

Als der Wald endete und der Wasserfall in seinen Ohren donnerte, hielt Habbi zum ersten Mal inne. Er wusste nicht mehr, woher er den Mut genommen hatte, an diesen Ort zurückzukehren. Die Sonne war heute von Wolken verdeckt und das schöne Glitzern aus der Luft verschwunden. Der Fluss sah kalt und grau aus.

Langsam kroch Habbi bis zur Kante, an der die Welt abbrach, und spähte nach unten.

Wie am Tag zuvor lag der Wolf vor dem Felsblock und regte sich nicht. Ein grau-schwarzer, dunkler Fleck.

Habbi erkannte, dass er gestern gegen den Felsblock geprallt wäre, wenn der Wolf dort nicht gelegen hätte, und biss sich auf die Pfote. Ohne den Wolf wäre er nicht nach Hause zurückgekehrt. Er konnte ihn unmöglich liegen lassen und davonlaufen!

Er suchte sich einen Weg nach unten und fand eine schmale, mit Gras bewachsene Rinne, die sich durch das Geröllfeld hinabschlängelte.

Unten angekommen, schlich er zu dem grau-schwarzen Tier, bis er ihm so nah war, dass er dessen Atem riechen konnte.

Die Augen des Wolfs waren geschlossen und sein rechtes Hinterbein lag unter einem großen Haufen kleinerer Steine begraben. Genau wie Habbi es in der letzten Nacht noch einmal vor sich gesehen hatte. Jeder einzelne Stein wog bestimmt nicht viel, aber alle zusammen mussten erdrückend schwer sein!

Den letzten Meter kroch Habbi flach geduckt. Sein Fell sträubte sich bei jedem Schritt etwas mehr.

Dann machte er einen Satz nach vorne, holte mit einem blitzschnellen Griff den ersten Stein vom Haufen, ging damit in Deckung und wartete.

Mehrere Wolkenschatten waren schon über den Wolf hinweggezogen, da hatte der sich noch immer nicht geregt.

Auch nach dem dritten Stein, den Habbi sich nahm, war
es nicht anders. Beim sechsten und siebten Mal rannte
er nicht mehr davon, sondern blieb auf dem Haufen stehen, um die Steine von oben hinunterzuwerfen.

   Danach warf und schmiss er in einer Schnelligkeit, als
ginge es um sein Leben. Die Angst, der Wolf könnte
jeden Moment aufwachen, ließ Habbi selbst die schwe-
reren Steine mit doppelter Kraft zur Seite kugeln.

Stück für Stück befreite er so das Bein des Wolfs und stemmte sich dann auch noch gegen den letzten Brocken, den größten von allen, der mitten auf der Wolfspfote lag.

»Ich muss ihm helfen, ich muss«, sprach er sich Mut zu und drückte seinen kleinen Körper mit ganzer Kraft gegen den Brocken, bis der sich aufrichtete und hintenüberkippte.

Plötzlich lag die furchterregende Wolfspfote frei und Habbi sprang in hohem Bogen zurück.

Im selben Moment öffnete der Wolf die Augen. Mit schmerzverzerrtem Maul hob er den Kopf, um zuerst auf sein verletztes Bein und dann auf Habbi zu schauen, der, bereit zur Flucht, hinter dem Haufen abgeräumter Steine hervorguckte.

Dann gab der Wolf ein dunkles Knurren von sich.

»Geh weg …«, stöhnte er. Doch Habbi ging nicht. Er blieb, wo er war, und fing an zu reden.

»Du … du kannst jetzt wieder aufstehen …«, sagte er.

Der Wolf schaute unter halb geschlossenen Lidern hervor. »Lass mich …«, keuchte er und sein Kopf sank wieder zu Boden. »Lass mich in Ruhe. Ich will sterben.«

Diese Worte legten sich schwer auf Habbis Brust. Schwer wie der große Felsblock hinter dem Wolf.

»Das … das geht nicht …«, stotterte er und biss die Zähne zusammen.

Er wusste, dass Füchse, Kojoten und andere Räuber den Tod bringen konnten. Er hatte Falken gesehen, die Erdhörnchen nach einem Angriff wie schlaffe Fellhaufen durch die Luft davongetragen hatten. Aber dass der Wolf sich ganz von selbst wünschte zu sterben, konnte Habbi nicht verstehen. Es war für ihn so unvorstellbar, dass er hinter seiner Deckung hervorkam und ein paar Schritte auf den Wolf zu machte.

»Du bist doch jetzt wieder frei!«, rief er aufgebracht.

»Und es gibt überall Vogelfedern und leere Schnecken-häuser und Steine mit Fliegen drin ...« Habbi wünschte, er hätte ein paar seiner Schätze dabei, um sie dem Wolf zu zeigen. »Und manchmal glitzern die Tröpfchen beim Wasserfall bunt in der Luft und ...« Jetzt, wo er dem Wolf direkt ins Gesicht sah, konnte Habbi erkennen, wie jung er bei all seiner Größe war. In den grünen Au-gen lag neben der düsteren Fremdartigkeit auch etwas Warmes, das Habbi direkt im Bauch spürte. »Du darfst nicht liegen bleiben ... steh auf!«

Tatsächlich begann der Wolf, sich aufzurappeln. Mit großer Mühe kam er auf die Vorderpfoten und winselte, als er sein verletztes Hinterbein zu sich heranzog. Eine Weile stand er halb aufgerichtet da. Dann überwand er sich und humpelte kraftlos auf drei Beinen davon, ohne sich noch einmal umzudrehen.

Habbi wurde traurig und wütend zugleich. Vielleicht suchte der Wolf einen ruhigen Platz, an dem ihm nie-

mand beim Sterben zusah. Dafür hatte Habbi sich nicht ein zweites Mal ans Ende der Welt gewagt! In seiner Aufregung vergaß er alle Vorsicht, sprang dem Wolf hinterher und packte ihn am buschigen Schwanz.

»Warte!«, rief er. »Ich kann dir zeigen, wo es Duft-zapfen gibt oder …«

»Lass mich in Ruhe!« Der Wolf schnappte mit seinem Maul nach Habbi, der den Schwanz erschrocken losließ und nach hinten fiel.

Auf dem kalten Boden sitzend, sah er, wie der Wolf langsam zwischen den Felsen verschwand. Bloß ein langes Schwanzhaar war zwischen seinen Pfoten hängen geblieben.

Am Abend lag Habbi auf seinem Heulager. Er schaute an die Höhlendecke und dachte an den Wolf, während seine Mutter ihm das Fell putzte.

»Hast du heute genug gefressen?«, fragte Hieme und rieb über seinen dünnen Bauch.

Habbi nickte. Dabei hatte er auf dem Rückweg gerade einmal den gröbsten Hunger mit ein paar Blättern und Samen gestillt. Immerhin war er rechtzeitig vor Sonnenuntergang zurückgekehrt.

»Es wird bestimmt ein harter Winter«, sagte Hieme. »Und du bist noch dünn wie ein Strohhalm.« Sie zupfte Habbi eine Klette aus dem Fell. Dann nahm sie seine Pfoten in ihre, um sie sauber zu lecken.

»Wonach riechst du?« Beunruhigt schnupperte sie daran. »Wo bist du heute gewesen?«

»Bei der Waldbeerenhecke …«, log Habbi und schaute weiter zur Decke.

»Du riechst nicht nach Beeren …« Hieme kannte den Geruch nicht, der von Habbis Pfoten ausging. Er war bedrohlich, aufregend und wild. »Was hast du angefasst? Sag es mir, Habbi!«

»Ich … vielleicht bin ich auf einen Stinkpilz getreten.«

Hieme raufte sich den Hinterkopf.

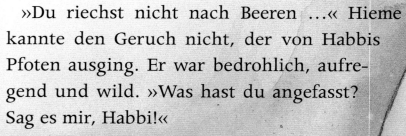

»Ich will, dass du auf den Futterpfaden bleibst«, sagte sie streng. »Hast du mich verstanden?!«

Habbi nickte doppelt. Trotzdem schaute ihn seine Mutter noch lange nachdenklich an.

Nachdem sie die Schlafhöhle verlassen hatte, beschnupperten auch die Geschwister Habbis Pfoten.

»Die stinken ja schrecklich!«, quiekte Humma.

»Das riecht wie Kojotenschiss!«, zischte Horpe.

»Du warst jedenfalls nicht bei der Beerenhecke«, stellte Hebbe fest. »Warst du wieder im Wald? Was hast du da gefunden? Die Rassel einer toten Klapperschlange?«

Die anderen sogen die Luft ein und drängten sich dichter aneinander.

»Es war nur ein Stinkpilz. Hab ich doch schon gesagt«, murmelte Habbi und schaute auf fünf gerümpfte Schnauzen.

Ob er nun in einen Stinkpilz oder in Kojotenschiss getreten war: Heute wollte niemand mehr mit ihm kuscheln.

Habbi war froh darüber. Als das aufgeregte Flüstern seiner Geschwister irgendwann in tiefes Schnaufen übergegangen war und er sich ganz sicher sein konnte, dass sie schliefen, zog er das Wolfshaar aus der geheimen Sammlung unter seinem Heulager hervor.

Es war ein kräftiges, schwarzes Haar. Aber wenn er mit einem Finger darüberstrich, bog es sich wie ein weicher Grashalm im Wind.

Noch eine ganze Weile wendete er es hin und her.

Ich will nicht, dass er stirbt, dachte er dabei wieder und wieder. Ich will nicht, dass er stirbt. Ich will nicht …

Und Habbi beschloss, dass er das auf keinen Fall zulassen würde.

Yaruk

Als seine Geschwister morgens wieder zum Futtersammeln aufbrachen, huschte Habbi schnell in die Vorratskammer unten im Bau.

»Habbi, wo bleibst du?«, rief seine Mutter von oben, während Habbi hastig Beeren, Pilze und Nüsse in seine Backentaschen stopfte.

Dann rannte er durch die Gänge nach draußen und schoss wie auf der Flucht vor einem Wiesel an seiner Mutter vorbei.

»Ha… Habbi!«, quiekte Hieme erschrocken und übersah, dass sich Habbis Backentaschen ausbeulten, als hätte er bereits einen ganzen Tag lang Futter gesammelt.

Am Waldrand rannte er beinah seinen Vater um. Hogge-Holm war wie so oft damit beschäftigt, sein Revier zu verteidigen.

»Halt die Augen offen, sonst mach ich dir Beine!«, bellte er seinem Sohn hinterher, als wäre der ein Fremder. Wie jeder Erdhörnchen-Vater konnte er sich nicht wirklich an jedes seiner Kinder erinnern, schließlich hatte er acht Familien gleichzeitig mit zweiundvierzig Söhnen und Töchtern. Und so jagte er manchmal seine eigenen Kinder wie Rivalen durch die Prärie.

Schnell lief Habbi weiter. Als er vom Futterpfad in den Wald bog, hatte er ein flaues Gefühl im Bauch. Nicht, weil er erneut auf dem Weg zum Ende der Welt war, sondern weil er fürchtete, dass er zu spät kam und der Wolf nicht mehr lebte.

Ein wenig hatte Habbi gehofft, ihn beim Wasserfall wieder vor dem Felsblock liegen zu sehen. Er blickte über die Kante nach unten: Aber der Wolf war nicht da. Nirgendwo schaute ein Fleckchen grau-schwarzes Fell zwischen den Felsen am Fuß des Geröllfelds hervor.

Habbi kletterte die grasbewachsene Rinne hinab. Dann folgte er dem Geruch der Spur, die der Wolf am Tag zuvor hinterlassen hatte.

Sie führte zur anderen Seite des Sees und dort einen kleinen Hügel zu einer Höhle hinauf.

Jetzt wurde Habbi vorsichtiger. Immer wieder stellte er sich auf die Hinterbeine, um möglichst schon von Weitem in die Höhle spähen zu können.

Den Wolf entdeckte er erst, als er bereits dicht vor dem Höhleneingang stand. Nur das Funkeln der grünen Augen war in der Dunkelheit zu sehen. So tief war der Wolf in die Höhle gekrochen.

Habbi quiekte zur Be-
grüßung und vor Erleich-
terung darüber, dass
der Wolf noch lebte.

»Ich hab dir was mit-
gebracht!«, rief er aus
sicherer Entfernung und
leerte sofort seine Backentaschen. »Guck mal! Hier!
Das ist ein unterirdischer Pilz!
Willst du mal probieren?« Der
Wolf zog die Augenlider zu Schlitzen zusammen. Eilig schob Habbi den
Pilz zwischen die Zähne. »Man kann auch
damit knirschen.« Er knirschte ein bisschen
auf dem Pilz herum. »Jetzt noch eine Beere
dazu … dann kriegt man Süßmatsch! Mach ich
oft so.« Habbi schmatzte laut gegen das Schweigen
des Wolfs an und hoffte, dass ihm vielleicht das Wasser
im Maul zusammenlief, wenigstens ein bisschen.

Dann schluckte er den Süßmatsch runter und schaute
auf das Futterhäufchen vor seinen Füßen. Es sah ohnehin schon mickrig aus, wenn man den Hunger eines
Wolfs bedachte, und nun war es auch noch um einen
Pilz und eine Beere geschrumpft.

Verlegen hob Habbi eine Nuss in die Höhe. Er wollte lieber nicht darüber nachdenken, dass Wolfszähne für ganz anderes gemacht waren als fürs Knacken einer Nuss.

»Soll … soll ich sie dir knacken?«, fragte er und nagte sofort an der harten Schale.

»Ich brauche kein Fressen mehr …«, knurrte der Wolf und schielte auf sein Bein.

»Das glaube ich aber doch!«, rief Habbi.

»Nein!«, fuhr der Wolf ihn plötzlich an. »Was ist schon ein Wolf, der nicht mehr jagen kann. Ein Wolf auf drei Beinen ist nichts wert. Kein Rudel braucht ihn. Die Rehe schauen von oben auf ihn herab. Der Wald lacht über ihn.« Der Wolf schüttelte verächtlich den Kopf. »Keinen Hasen kann ich mehr fangen, keine Ratte, keinen einzigen Nager …«

Habbi hörte augenblicklich auf, an der Nussschale zu nagen, und auch der Wolf stockte. Ein Erdhörnchen, das wie Hirsche und Elche zum Fraß der Wölfe gehörte, hatte nichts in der Nähe eines Wolfs zu suchen. Erst recht sollte es keine Nuss für ihn knacken. Alles daran war verrückt und falsch und konnte niemals gut gehen.

Habbi spürte den funkelnden Wolfsblick auf sich. Er hätte zurückspringen und fliehen können, vielleicht hätte er es tun *müssen*.

»Hast du einen Namen?«, fragte er stattdessen.

Im fahlen Licht, das in die Höhle drang, leuchteten die Augen des Wolfs auf.

»Yaruk«, raunte er nach einer Weile und sah in die Ferne, als hätte er diesen Namen einmal mit Stolz und Freude getragen.

Habbi atmete auf. Ein Wolf mit einem Namen kam ihm
gleich weniger furchterregend vor.

»Ich bin Habbi.« Mit ein paar schnellen Bissen knack-
te er die Nuss zu Ende, dann roll-
te er sie Yaruk zu. »Und ich lass
dich nicht verhungern, weil
ich das auf keinen Fall
will. Ein Wolf auf drei
Beinen ist ein guter
Wolf. Und jagen

brauchst du gar nicht mehr, weil … wir haben eine Vorratskammer. Die reicht für den ganzen Winter!«

Yaruk legte den Kopf schief. Die Gedanken dieses Erdhörnchens schienen ihm vollkommen unbegreiflich zu sein.

»Ich hol jetzt noch mehr Futter. Du kannst ja schon mal das hier auffressen, während ich weg bin«, fuhr Habbi fort. »Vielleicht finde ich auch ein paar tote Fliegen auf dem Weg. Und ein Stück Eidechsenschwanz hab ich auch«, fügte er hinzu, weil er sich nicht sicher war, ob ein Wolf Nüsse und Beeren überhaupt mochte.

Dann quiekte er noch einmal zum Abschied und rannte davon, so schnell wie ein Falke flog, weil ihn der Mut verließ und niemand zu Hause sein Fortbleiben bemerken sollte.

Eine Heldengeschichte

In den folgenden drei Tagen brachte Habbi so viel Futter zur Wolfshöhle, wie er tragen konnte. Als er das erste Mal zurückgekehrt war, hatte er entdeckt, dass Yaruk die Beeren vom Vortag tatsächlich gefressen hatte. Die Nüsse und Pilze rührte er aber nicht an. Deshalb brachte Habbi neben toten Fliegen aus dem Wald nur noch getrocknete Beeren von zu Hause mit. Es waren so viele, dass er die Vorratskammer mit eilig herbeigeschaufelter Erde auffüllen und die Erde mit den übrigen Pilzen und Nüssen bedecken musste, damit niemand den Futterklau bemerkte.

Habbi achtete darauf, dass er nachmittags rechtzeitig in den Bau zurückkehrte. Auf dem Heimweg wälzte er sich in Blüten, um unverdächtig wie eine Blume zu riechen und nicht nach Wolf.

Am zweiten Nachmittag tat er so, als hätte er sich den Fuß verknackst und kam humpelnd nach Hause. Auf seinem Heulager liegend beobachtete er, welche Kräuter seine Mutter für die Nacht unter seinen Fuß schob. Morgens humpelte er wieder aus dem Bau, um dann heimlich den Futterpfad zu verlassen und nach genau diesen Kräutern zu suchen.

Er legte sie auf ein Lager aus weichem Moos, das er vor dem Eingang zur Wolfshöhle baute.

»Hier kannst du dein Bein drauflegen. Damit es wieder heil wird. Und von hier aus siehst du auch den Wasserfall«, rief er Yaruk zu, der noch immer im Dunklen lag.

Habbi versuchte alles, um ihn aus der Höhle zu locken. Er erzählte von der Schönheit seiner kleinen Welt und zeigte ihm Duftzapfen und die Schätze aus seiner Sammlung.

Yaruk stierte erst nur dumpf vor sich hin und fraß freudlos Beeren. Aber als Habbi ihm Knallerbsen vorführte und knallend vor ihm auf und ab sprang, huschte ihm doch ein Lächeln übers Maul.

Am Morgen des vierten Tages lag Yaruk auf einmal vor der Höhle in der Sonne und sein verletztes Hinterbein ruhte auf den Kräutern.

Habbi freute sich, weil Yaruk endlich aus der Dunkelheit gekrochen war. Er wollte fröhlich auf ihn zuhüpfen. Aber er lud die neue Beerenfuhre lieber mit genügend Abstand vor ihm ab. So nah wie am Fuß des Geröllfelds, als er am Wolfsschwanz gezogen und Yaruk nach ihm geschnappt hatte, wollte Habbi ihm nicht mehr kommen.

Yaruk hob den Kopf.

»Deine Kräuter haben mir ein Stück Kraft zurückgegeben«, raunte er und beugte und streckte sein verletztes Bein mit ein wenig wiedererwachtem Stolz. »Weißt du,

wie kräftig das Bein einmal gewesen ist?« Er betrachtete es fast ungläubig. »Es ist durch tiefen Schnee gestapft und steile Berge hinaufgestiegen. Ich bin mit ihm durch Flüsse geschwommen. Und es war stark genug für den Todessprung!« Yaruk hielt seine Schnauze in den Wind. »Was ist das … der Todessprung?«, fragte Habbi, überrascht davon, dass Yaruk heute ganz von selbst über sich zu reden begann. »Wer den Todessprung nicht wagt, gehört nicht

zu meiner Familie«, sagte Yaruk. »Jeder junge Wolf wird zum Ende der Schlucht geführt. Sie ist so tief, dass die Bisons unten am Fluss klein wie Käfer aussehen!« Die Geschichte vom Todessprung erzählte Yaruk gern, das war ihm anzumerken. »Ich habe mit meinen Geschwistern nach unten gestarrt. Aber meine Angst habe ich nicht gezeigt.

›Du springst als Erster, Yaruk!‹, hat mein Vater bestimmt.

Bis zur anderen Seite waren es mindestens acht Wolfslängen! Das konnte ich niemals schaffen.

›Ein Wolf hat keine Angst. Vor nichts, Yaruk. Du springst jetzt! Jetzt!!‹, hat mein Vater befohlen. Und hätte ich es nicht versucht, er hätte mich verstoßen!

Den Schwanz zwischen die Beine geklemmt, bin ich vor der Schlucht zurückgewichen. Dann habe ich Anlauf genommen und bin gesprungen. Im Flug wusste ich, dass ich sterben würde. Die Tiefe hat an meinem Bauch gezogen, die Angst hat mich schwer gemacht wie einen Brocken aus Fels. Bis ich gelandet bin! Auf der anderen Seite der Schlucht! Mein Vater hatte bedacht, dass diese Seite tiefer lag als die, von der aus ich gesprungen war.

Deshalb habe ich es gerade eben so ge-
schafft!

Als ich mich zu meinem Vater umgedreht
habe, war nichts mehr wie vorher. Ich war ein
anderer Wolf. Voller Mut und Kraft.«

Habbis Maul und seine Augen standen weit offen.
Noch nie hatte er eine Geschichte über Mut gehört. Er
kannte von zu Hause nur Erzählungen über Vorsicht
und Furcht.

»Nachdem auch meine Geschwister gesprungen waren«, fuhr Yaruk fort, »konnte uns niemand mehr auf-
halten. Dem Grizzlybären, der unseren Weg gekreuzt
hat, haben wir die Zähne gezeigt, seine Prankenhiebe
direkt vor unseren Schnauzen. Ein einziger Schlag von
ihm hätte uns töten können. Aber wir haben den Bären
zurückgedrängt, Schritt für Schritt, bis er geflohen ist
und der Weg allein uns gehörte.«

Yaruk legte das Bein wieder auf das Kräuterlager.
Dann ließ er seinen Kopf auf den Vorderpfoten nieder
und schwieg.

Habbi wartete vergeblich darauf, dass der Wolf wei-
tererzählte.

Er stellte sich vor, selbst am Abgrund einer Schlucht
zu stehen und springen zu müssen. Wie ein Flughörn-
chen streckte er Arme und Beine zur Seite, legte sich

auf den Boden und schloss die Augen. Während die Sonnenstrahlen seinen Rücken wärmten, sah er die Tiefe des Abgrunds vor sich, die kräftig an seinem Bauch zog. Es war so wunderbar, in der Sonne auf dem Boden zu liegen und sich dabei auszumalen, heldenhaft über den Abgrund zu gleiten, dass Habbi auf einmal die Müdigkeit aus den letzten schlaflosen Nächten überkam.

Er blinzelte noch ein wenig vor sich hin, dann schlief er ein.

Im Traum segelte er über einen reißenden Fluss hinweg. Der Wind zerrte an seinem Fell und füllte seine Backen. Es war ein langer, aufregender Flug über den Abgrund, der nicht enden wollte.

Als Habbi schließlich doch noch landete und stolz zurückschaute, hörte er den warnenden Schrei seiner Mutter. Im gleichen Augenblick erwischte ihn von hinten beinahe der Prankenhieb eines Bären. Mit wütendem Wolfsknurren fletschte Habbi seine vier Vorderzähne und stellte sich dem Bären entgegen. Schritt für Schritt drängte er ihn zurück. Aber dann packte ihn die kräftige Bärenpranke und drückte ihn zu Boden. Habbi war unter ihr gefangen und begraben … und wachte entsetzt auf.

Gleich darauf durchzuckte ihn ein zweiter gewaltiger Schreck: Genau wie die Pranke des Bären eben im Traum, lag Yaruks schwere Pfote auf ihm! Habbis Herz wollte

nicht mehr schlagen und seine Schnauze wurde kalt. Wie hatte er bloß in der Nähe eines Wolfs einschlafen können?!

Die Angst lähmte seine Arme und Beine. Er stellte sich tot und wartete darauf, dass Yaruk ihn mit seinen Krallen durchbohrte, dass er ihn zerquetschte und auffraß.

Einen Spalt weit öffnete Habbi dann seine Lider. Ganz langsam drehte er den Kopf. Und da sah er zwischen den Wolfszehen hindurch, dass Yaruk schlief.

Vorsichtig, sehr vorsichtig, schob Habbi sich unter der Pfote hervor. Yaruks Bauch hob und senkte sich gemächlich. Habbi konnte es nicht glauben. War er im Schlaf zu Yaruk gekrochen? Und hatte Yaruk seine Pfote einfach auf ihn gelegt? Vielleicht sogar, um ihn zu schützen?

Er richtete sich auf und hielt seine kleine Pfote neben die große mächtige von Yaruk. Noch immer spürte er den sanften Druck der Wolfszehen auf seinem Rücken. Nie hätte er gedacht, dass sie so weich sein würden.

Yaruks Ohren zuckten im Schlaf und sein ruhiger Atem blies die Blätter vor seiner Schnauze fort. Wie friedlich sein Maul auf dem Boden lag. Fast konnte man vergessen, dass scharfe Zähne darin verborgen waren.

»Bis morgen«, flüsterte Habbi und ertappte sich dabei, wie er mit seiner Pfote leicht über die von Yaruk strich.

Dann schlich er sich davon, rannte auf die andere Seite des Sees, das Geröllfeld hinauf und in den
Wald hinein.

Übermütig hüpfte er über Äste und Stämme, wirbelte die Blätter am Boden auf, sprang den Bachlauf entlang und bog in Richtung Futterpfad ab …
da sah er auf einmal Hebbe – und Hebbe sah ihn. Er
hatte sich vom Futterpfad entfernt und sich beinahe
bis zum Bach vorgetraut. Jetzt riss er den Kopf hoch,
als hätte man ihn bei einer schlimmen Tat erwischt.

»Ich … ich bin nur aus Versehen hier …«, vertei-
digte er sich und fragte dann schnell: »Wo bist du
schon wieder gewesen?!«

»Nur ein bisschen weiter oben am Bach«, behaup-
tete Habbi.

Hebbe glaubte ihm natürlich nicht. »Du humpelst
ja gar nicht mehr«, stellte er argwöhnisch fest.

Das Humpeln hatte Habbi ganz vergessen.

»Wegen … der … der Kräuter«, stotterte er.

Hebbe schüttelte verärgert den Kopf. »Wenn
du mir nicht sagst, wo du wirklich gewesen bist,
erzähl ich zu Hause, dass du nie mit uns

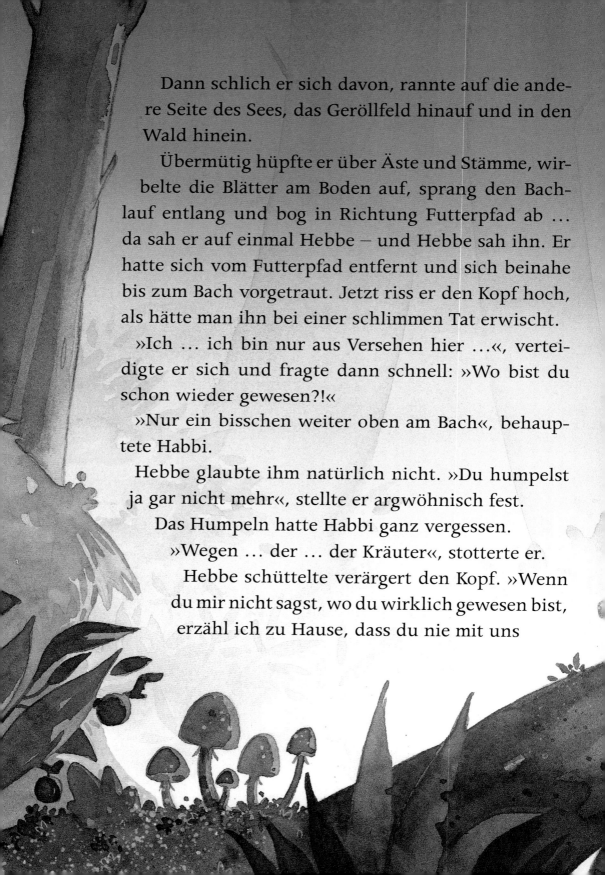

bei der Hecke
sammelst und
dich dauernd
im Wald rum-
treibst! Du bist von
ganz dahinten gekommen!«

Er zeigte den Bachlauf hinunter.

Habbi knirschte mit den Zähnen.
Warum konnte Hebbe ihn nicht in
Ruhe lassen?!

Er rannte einfach an ihm vorbei. Es
stand ohnehin fest, dass Hebbe früher
oder später den Mund nicht halten würde. Da sollte er wenigstens nicht erfahren,
wohin der Waldbach führte.

Dicht gefolgt von seinem Bruder kam Habbi nach Hause. Dort wartete gleich die nächste unangenehme Überraschung auf ihn.

»Wer von euch war an der Vorratskammer?!«

Wütend rief Hieme ihre sechs Kinder zusammen. »Wer hat sich alle Früchte genommen und dafür Erde hineingeschaufelt?!«

Habbi versuchte, seinen Schreck zu verbergen und genauso unschuldig zu schauen wie die anderen.

»Ohne die Vorräte kommen wir nicht über den Winter! Der Winter bringt nur Schnee und Eis. Er lässt nichts für uns übrig. Kein einziger Grashalm wird mehr wachsen. An den Hecken werden nur die Dornen bleiben. Ohne Vorräte müssten wir verhungern!! Wem von euch ist das nicht klar?!«

Keines der Kinder hatte bisher einen Winter erlebt. Und Habbi wurde erst jetzt bewusst, was sein Futterklau bedeutete.

»Also, wer war es?!«, fragte Hieme noch einmal und alle sahen gleichzeitig zur dicken Humma, die rund wie eine pralle Frucht auf ihrem Lager hockte. Jeder wusste, dass sie Beeren liebte.

Humma verschluckte sich am Strohhalm, an dem sie gerade kaute. Bestimmt naschte sie hin und wieder aus der Vorratskammer, aber sie war auch diejenige, die am meisten Beeren nach Hause brachte.

»Was guckt ihr so?!«, rief sie wütend.

Habbi schaute zu Boden. Dass Humma verdächtigt wurde, zog ihm den Bauch zusammen. Er wollte ja zugeben, dass er es war. Aber wie sollte er das anstellen, ohne dass seine Mutter von seinen Ausflügen ans Ende der Welt und von Yaruk erfuhr?

Hieme sah zuerst Humma, dann einem nach dem anderen prüfend in die Augen. Habbi war der Letzte in der Reihe. Als seine Mutter seinen gesenkten Kopf am Kinn anhob, wusste er, dass sie ihn durchschaute.

»Also gut …«, murmelte sie aber nur und dachte nach. Dann ließ sie von Habbi ab und wandte sich allen zu. »Wenn es keiner von euch war, wird es wohl ein

Nachbar gewesen sein«, sagte sie und nahm ihrem Sohn damit die schwere Last von seinen dünnen Schultern. »Aber ich bin mir sicher, dass der Nachbar es nie wieder tun wird.«

Beinahe nickte Habbi. Er konnte es sich gerade noch verkneifen.

»Denn wenn so etwas noch einmal vorkommt, muss Hogge-Holm sich darum kümmern.«

Wenn Hogge-Holm davon erfuhr, würde er nach dem Dieb suchen, bis er ihn fand, um ihn aus dem Dorf zu vertreiben, war Habbi sich sicher.

Ich muss es wiedergutmachen, dachte er sich. Ich muss es wiedergutmachen …

Das Tal der Wölfe

Doch schon am Mittag des nächsten Tages wurde Habbis Wunsch, Yaruk wiederzusehen, stärker als sein schlechtes Gewissen. Er trug nicht länger Pfoten und Backentaschen voll Futter in die Vorratskammer, sondern bog erneut in den Wald ab. Unwiderstehlich zog es ihn zum Wasserfall und auf der anderen Seite des Sees zur Wolfshöhle hinauf.

»Du läufst ja! Du läufst!!«, quiekte er Yaruk zu, als er ihn vor der Höhle hin und her hinken sah.

Yaruk kam ihm sogar ein Stück entgegen!

»Wo bist du gewesen?!«, rief er, als hätte auch er Habbis Rückkehr kaum erwarten können.

»Ich musste den ganzen Morgen Futter mitsammeln! Für unsere Wintervorräte. Meine Mutter hat gemerkt, dass ich was weggenommen hab. Ich kann dir nichts mehr davon mitbringen! Du musst jetzt woanders Beeren finden«, sagte Habbi zerknirscht. Er holte ein paar kleine Walderdbeeren hervor. Das war alles, was er auf dem Weg gefunden hatte. »Eigentlich darf ich auch gar nicht hier sein! Wenn meine Mutter das wüsste! Sie hat dauernd Angst, dass ich verloren gehe oder mir wehtue. Oder dass ich mich verlaufen könnte oder nicht genug futtere und zu dünn bin für den Winter.« Habbi klopfte verärgert auf seinen dünnen Bauch. »Du hast es gut! Dein Vater glaubt daran, dass du über eine Schlucht springen kannst! Ich darf noch nicht mal in den Wald!«

Habbi dachte an Yaruks Erzählung über seinen Vater und daran, wie die Wolfsgeschwister ihm ihren Mut beim Sprung über die Schlucht bewiesen hatten.

Und da fragte er sich plötzlich, wo sie alle waren.

»Wo ist überhaupt deine Familie?«, rief er.

Yaruk senkte den Kopf. »Meine Familie …«, wiederholte er langsam. Dann hinkte er unruhig auf und ab.

»Wissen sie nicht, dass du noch lebst?!«, rief Habbi. »Sie wissen es bestimmt nicht! Sonst würden sie dir doch helfen!«

Yaruk zog immer größere Kreise. Seine Nase strich

dabei knapp
über den Boden,
als wollte er einen
Geruch aufnehmen. Einmal
stellte er die Ohren auf und horchte,
danach trat er ruhelos auf der Stelle hin und her.

»Komm!«, sagte er schließlich. »Komm mit!«

Er hinkte los, an der Höhle vorbei, den Hügel zum See
hinab und von dort in schroffes Gelände.

Habbi folgte ihm. Es ging zwischen scharfkantigen
Felsen hindurch und über vom Blitz gefällte Bäume hinweg. Sie überquerten eiskalte Bäche und schoben sich

an Erdspalten vorbei. Mit jedem Schritt wurde die Welt um sie herum noch wilder und größer.

Nach einem steilen Anstieg kamen sie zu einem Felsvorsprung und blickten in ein Tal, das gewaltig, breit und lang war und in dessen Mitte unzählig viele Bisons und Elche weideten.

»Das ist das Tal der Wölfe!«, raunte Yaruk. »Es gehört meiner Familie. Uns allein. Kein anderes Wolfsrudel darf es betreten.«

Auf einem grasbewachsenen Hang in der Ferne entdeckte Habbi elf Wölfe, die in der Sonne dösten. Wenn ihnen dieses ganze Tal gehörte, mussten sie unvorstellbar mächtig sein.

»Der große graue ist mein Vater, Scharokan. Daneben liegt Sirka, meine Mutter. Die anderen sind meine Geschwister«, erklärte Yaruk stolz. »Wir haben das Tal zusammen gegen andere Wölfe verteidigt, wir haben den Winter gemeinsam überstanden und zusammen gejagt.«

»Gehst du jetzt wieder zu ihnen?«, fragte Habbi vorsichtig, denn der Gedanke daran machte ihn traurig, obwohl er doch eigentlich schön war.

Yaruk schüttelte den Kopf. »Mein Vater duldet keinen verletzten Wolf in seinem Rudel. Ein zu schwacher Wolf bleibt alleine zurück. So ist unser Gesetz.«

»Aber dein Bein ist ja viel besser geworden.«

Yaruk stieß verächtlich die Luft aus.

»Ich war der Stärkste unter meinen Geschwistern«, entgegnete er. »Eines Tages hätte ich das Rudel geführt. Daran gab es keinen Zweifel. Niemand aus meiner Familie soll mich jemals so schwach sehen.«

Habbi war verwirrt. Das konnte Yaruk doch nicht davon abhalten, zu seiner Familie zurückzukehren! Er wollte auch nicht glauben, dass Scharokan Yaruk ausschloss, dieser friedliche alte

Wolf, der seinen Kopf auf Sirkas Bauch gelegt hatte und über das Rudel wachte.

In diesem Moment reckte Scharokan seine Schnauze in die Höhe und weckte das Rudel mit lautem Geheul. Einer nach dem anderen fiel in sein Geheul ein, bis es das ganze Tal füllte.

Die elf Wölfe sprangen auf. Angeführt von Scharokan und Sirka liefen sie mit schnellen Schritten von ihrem Hügel hinab.

Über das Tal legte sich nun eine merkwürdige Stille. Die grasenden Bisons und Elche hielten im Kauen inne, hoben achtsam ihre Köpfe und beäugten die Wölfe, die sich auf leisen Pfoten näherten.

Dann hatte die Ruhe ein jähes Ende. Die Herden galoppierten auseinander, in rasender Flucht, röhrend und schnaubend.

Yaruks Augen wurden zu Schlitzen. Sein Schwanz zuckte und die Krallen bohrten sich in den Boden. Seine Schnauze war kaum wiederzuerkennen. Die Lippen spannten sich und die Zähne traten bedrohlich hervor wie bei seinen Geschwistern. So stand er da, bis sein Blick auf Habbi traf, der die Jagd mit aufgerissenem Mäulchen verfolgte, ohne Yaruks Verwandlung zu bemerken. Und so plötzlich, wie das Flackern in Yaruks Augen aufgetaucht war, verschwand es jetzt. Sein Ge-

sicht wurde wieder weich, sein Atem ruhiger und seltsam berührt betrachtete er Habbi mit zur Seite geneigtem Kopf.

Nur noch einmal drehte Yaruk sich zum Tal, in dem seine Familie unaufhörlich den Tieren nachjagte.

»Komm …«, sagte er erschöpft, als hätte er selbst einen Kampf hinter sich. »Lass uns gehen!«

Yaruk schob Habbi mit der Pfote von dem Felsvorsprung weg. Vielleicht wollte er ihm das Ende der Jagd ersparen.

Die fliehenden Elche und Bisons blieben aber in

Habbis Kopf. Genauso wie die kräftigen Sprünge von Yaruks Geschwister bei ihrer Verfolgung.

Habbi stolperte neben Yaruk her und dachte auch daran, wie die ganze Wolfsfamilie friedlich und innig beieinander auf dem Hang geruht hatte. Das passte überhaupt nicht zusammen, fand er. Nichts passte zusammen! Warum waren Wölfe mal so und mal so? Habbi verstand es nicht. Warum durfte ein verletzter Wolf nicht bei seiner Familie sein? Warum musste er alleine zurückbleiben?!

»Aber du bist ja gar nicht alleine!«, rief er, als sie wieder bei der Wolfshöhle angekommen waren. »Ist doch egal, dass ich kein Wolf bin. Böse gucken kann ich auch!« Habbi kniff die Augenlider zusammen und fletschte seine Nagezähne.

Dabei sah er so komisch aus, dass Yaruk anfing zu lachen. Es war ein keuchendes Wolfslachen, das ihn durchschüttelte.

Und Habbi ließ nicht locker. Er heulte jämmerlich in den Himmel wie ein Wolf: »Wenn du nicht wegrennst, fress ich dich!«

Yaruk humpelte hastig davon, war aber eine leichte Beute, weil er so lachen musste. Als Habbi ihn nach ein paar wilden Sprüngen am Schwanz packte, wälzte Yaruk sich sofort auf dem Boden.

Habbi stürzte sich auf ihn und rollte mit

ihm durch den Matsch. »Ich hab dich! Ich hab dich!«, knurrte er.

Irgendwann gewann Yaruk bei dem Gerangel die Oberhand, stand über Habbi und drückte ihn mit einer Pfote zu Boden. Ganz plötzlich war das Spiel vorbei und Habbi wurde vom mutigen Wolf zum hilflosen Erdhörnchen.

Für einen langen Moment sah Yaruk mit seinen blitzenden grünen Augen auf ihn herab. Dann gab er Habbi wieder frei und drehte sich schnell weg.

»Geh jetzt lieber nach Hause«, sagte er ernst.

Habbi richtete sich auf. »Was … was ist denn los?«

Ohne ihn anzusehen, knurrte Yaruk entschieden: »Ich bin froh, dass du hier warst und meine Familie gesehen hast. Jetzt musst du gehen!«

Habbi wich zögernd vor Yaruk zurück und zupfte sich dabei ratlos den Schlamm aus dem Fell.

»Na gut … dann … bis bald …«, sagte er und lief langsam davon. »Ich komme dich wieder besuchen!«

Als Habbi das Geröllfeld zum Wald hinaufstieg, hörte er ein einsames Wolfsheulen und blickte sich um.

Yaruk stand auf dem Felsen vor dem Höhleneingang und heulte die dunklen Wolken an, die über ihn hinwegzogen. Es sah aus, als würde er den Sturm herbeirufen, der jetzt aufzog.

Kurz darauf flogen die Blätter über den Himmel und der Regen fiel in Strömen herab.

Habbi eilte in den Wald. Es wurde fast so dunkel wie in der Nacht. Das Blätterdach konnte den Regen nicht abhalten, dicke Tropfen schlugen neben Habbi ein und Äste krachten zu Boden.

Aber es war nicht der gewaltige Sturm, der ihm in die Knochen fuhr, sondern Yaruks einsames Heulen. Es begleitete ihn durch den Wald, in dem außer ihm niemand mehr unterwegs war. Alle Tiere hatten sich längst verkrochen. Nur furchtsam blickende Augen leuchteten hier und da aus dem Dunkel der Höhlen und Baue hervor.

Da sah Habbi, dass doch noch jemand anderes im Wald umherirrte.

»Haaaabbiiii??!!« Er erkannte die Stimme seiner Mutter. »Habbiiiii??!! Wo bist du??!!«

Als sie ihn entdeckte, stürzte sie sich auf ihn. »Habbi!! Mein Junge!!« Sie leckte ihm übers Gesicht, den Rücken, den Kopf. Zu Habbis großer Erleichterung hatte der Regen Yaruks Geruch bereits von ihm abgewaschen. »Du bist da!! Ich dachte schon … ich dachte, du wärst … wir haben einen Wolf gehört!«

Hinter ihr tauchte Hebbe auf. Habbi hatte es ge-

wusst. Sein Bruder musste zu Hause vom Waldbach erzählt und Hieme seinen geheimen Weg gezeigt haben.

»Ein Wolf!!«, keuchte Hebbe ihm jetzt zu. »Da hinten ist ein Wolf!! Hast du ihn nicht auch gehört?!!«

Wieder drang das Wolfsheulen durch den Sturm zu ihnen.

»Kommt! Schnell! Schnell!!«, rief Hieme und trieb ihre Kinder hastig durch das Unwetter vor sich her. An Pfützen vorbei, die zu kleinen Seen wurden, und unter umgestürzten Bäumen hindurch.

Je weiter sie sich vom Heulen entfernten, desto fürchterlicher fluchte die Mutter über den Wolf und seine Sippe: »Sie sind grausam! Sie trinken Blut und haben Lust am Töten! Sie sind hinterhältig und durchtrieben und ...«

Hebbe hörte ihr mit ängstlich aufgestellten Ohren zu. Habbi aber wollte nichts von alldem wissen! Nichts!! Er ließ nur noch den Sturm durch seinen Kopf tosen.

Zwei Freunde

Die ganze Nacht über hatten die Erdhörnchen im Dorf Schlamm aus ihren Gängen geschaufelt oder waren aus einstürzenden Bauen geflohen.

Hogge-Holm war umhergestürmt, um die Eingänge seiner vielen Höhlen mit Gräsern zuzustopfen und das Wasser von dort fernzuhalten. Er hatte gegraben, gewühlt, gerettet, bis der Matsch ihn von oben bis unten bedeckt hatte.

Zu all dem waren das Brüllen des Sturms und das Wolfsgeheul gekommen und unter den Erdhörnchen hatte sich die Angst breitgemacht, dass etwas Unheilvolles in der Luft lag. Etwas bedrückend Unheilvolles, das plötzlich über das Dorf hereinbrechen konnte.

Aber mit dem Morgen kam die Sonne zurück. Auch der Wolf war nicht mehr zu hören und die Erdhörnchen konnten sich von den Anstrengungen der Nacht erholen. Sie fielen ins Gras und ließen die Sonne auf ihre dreckverschmierten Gesichter scheinen.

Nur Habbi nicht. Natürlich hatte sein erneuter, verbotener Ausflug Folgen. Bis zum Abend musste er im Bau bleiben.

Er lag wütend in der Schlafhöhle und wünschte sich, ein Wolf zu sein, der über Schluchten springen durfte.

In der Stille des Baus dachte er an das, was seine Mutter über die Wölfe gesagt hatte. Dass sie durchtrieben waren und Blut tranken! Das stimmte doch nicht! Yaruk war ganz anders!

Habbi versuchte, den gierigen Blick zu vergessen, den Yaruk beim Abschied in seinen blitzenden Augen gehabt hatte.

Bestimmt liegt er einsam in seiner Höhle und wartet auf mich, dachte er. Hoffentlich glaubt er nicht, ich lasse ihn im Stich.

Als die Mutter Habbi am nächsten Tag wieder auf Futtersuche schickte, trug sie Hebbe auf, die ganze Zeit an seiner Seite zu bleiben.

Unentwegt schielte Hebbe beim Gräserzupfen auf seinen Bruder, der ihm nicht entwischen konnte.

Deshalb fing Habbi irgendwann an, von dem Wasserfall zu erzählen. Leise und geheimnisvoll schmückte er aus, wie das Funkeln und Glitzern dort den ganzen Himmel zum Leuchten brachte und dass es goldene Kügelchen gab, die durch die Luft schwebten.

Hebbe stellte das Gräserzupfen ein.

»Goldene Kügelchen!«, wiederholte er gebannt.

»Ja! Man kann sie einfach aus dem Himmel zupfen!«, dachte Habbi sich aus.

»Und wo ist das?! Wo?!«, fragte Hebbe.

»Der Weg ist geheim. Den kenne nur ich«, sagte Habbi. Und bevor sein Bruder auf die Idee kam, dass sie vielleicht zusammen dorthin laufen könnten, fügte er schnell hinzu: »Beim Wasserfall ist es allerdings gefährlich! Der Wald bricht ab und alles fällt nach unten, die Bäume und die Steine und der Fluss! Es donnert laut wie bei einem Gewitter und wenn man nicht aufpasst, stürzt man ab!«

Hebbes Ohren wurden immer größer und sein kleines Maul immer trockener.

»Aber wenn du willst, kann ich dir ein paar Kügelchen mitbringen.« Habbi war selbst überrascht, was er da alles sagte, um seinen Bruder zu überreden. »Ich wäre auch nur kurz weg …«

Hebbe knetete seine Pfoten und schaute in den Himmel. Es war keine einzige bedrohliche Wolke zu sehen.

»Na gut. Aber wirklich nur kurz«, sagte er hastig. »Ich sammel für dich mit. Dann merkt keiner was. Und bring so viele Kügelchen her, wie du kannst! Ich guck jetzt nicht hin und dann läufst du los, ja?«

Kaum hatte er ausgesprochen, war Habbi schon im Dickicht verschwunden.

Yaruk war nicht da. Habbi hatte sich den Hügel hinaufgeschlichen, um ihn mit einem hohen Sprung zu überraschen. »Hier bin ich wieder!«, hatte er in die Höhle gerufen, aber außer seinem Echo war nichts zurückgekommen.

Enttäuscht sackte Habbi in sich zusammen. Dann beschnupperte er den Boden. Yaruks Spuren führten in alle möglichen Richtungen.

Vielleicht war er im Wald, in dem es ständig raschelte und knackste. Oder er war beim See, um etwas zu trinken. Und wenn er doch zum Tal der Wölfe und zu seiner Familie zurückgekehrt war? Würde er ihn dann nie wieder sehen?

Habbi lief auf das schroffe Gelände zu, durch das der Weg zum Wolfstal führte, und wagte sich ein Stück weit bis zu den scharfkantigen Felsen vor. Da tauchte Yaruk plötzlich wie ein grau-schwarzer Schatten hinter einem Baumstamm auf.

Erst wollte Habbi auf ihn zurennen. Aber als er Yaruks Gesicht sah, stieß er einen gellenden Schrei aus: Die Schnauze war blutrot gefärbt! Habbi wich wie von selbst zurück, obwohl Yaruk noch weit entfernt war.

Der Schrei hatte Yaruk aufschauen lassen. Jetzt hinkte er immer schneller auf Habbi zu, je hastiger der vor ihm floh.

Halb rückwärts stolpernd, konnte Habbi seinen Blick nicht von der blutroten Schnauze abwenden. Die Warnungen seiner Mutter, die er gestern so wütend in sich vergraben hatte, kamen nun mit doppelter

Kraft zurück. Wölfe trinken Blut! Sie haben Lust am Töten!

»Warte!«, rief Yaruk.

Aber Habbi kam es auf einmal verrückt vor, dass er jemals davon geträumt hatte, einen Wolf zum Freund haben zu können.

Er hastete bereits das Geröllfeld neben dem Wasserfall hinauf und erreichte oben die Kante, an der die Welt abbrach. Vor ihm lag sein Wald, der ihm vielleicht Schutz bieten konnte.

Noch einmal schaute er sich um. Yaruk kletterte und rannte auf seinen dreieinhalb Beinen beängstigend gut. Er würde ihn bald eingeholt haben. Habbi stolperte weiter. Schon tauchte Yaruk an der Kante auf!

Im selben Moment fiel Habbi hintenüber in den Bach. In seinem kurzen Leben war er noch nie geschwommen. Das eiskalte Wasser drang sprudelnd in seine Ohren und nahm ihn einfach mit sich wie den Libellenflügel ein paar Tage zuvor. Habbi hielt seine Schnauze aus den Wellen, die ihm in die Augen schwappten, und sah verschwommen, dass er sich dem großen Fluss näherte.

Gleich darauf riss ihn der Fluss fort und machte mit ihm, was er wollte. Er tauchte ihn unter, schäumte ihm ins Gesicht und wirbelte ihn unaufhaltsam dem Wasserfall entgegen. Habbi drehte sich in einem gurgelnden Strudel um sich selbst. Mal sah er die Kante, an der der Fluss nach unten stürzte, mal Yaruk, der ungestüm am Ufer neben ihm herhetzte, als hätte der Fluss ihm seine Beute geraubt.

Der Wasserfall brüllte in Habbis Ohren. Er würde ihn verschlucken und unten am See ausspucken wie die zersplitterten Baumstämme, die hinabgestürzt waren und auf dem See trieben.

Als ihn der Strudel wieder umdrehte, sah Habbi, dass Yaruk plötzlich mit einem weiten Satz in den Fluss sprang und auf ihn zuschwamm. Habbi schaute in sein aufgerissenes Maul und strampelte wild mit Armen und

Beinen. Er versuchte jetzt, mit dem Strom zu paddeln, um Yaruks Biss zu entkommen. Lieber sollte der Wasserfall ihn verschlingen, als dass Yaruk ihn fraß!

Kurz vor der Kante zum Ende der Welt hatte Yaruk ihn trotzdem eingeholt und schnappte zu. Habbi spürte seine spitzen Zähne und den heißen Atem. Er wand sich, um sich aus dem Maul zu befreien, während Yaruk gegen die Strömung ankämpfte. Auch ihn wollte der Fluss nicht mehr hergeben. Er zerrte an ihm und stieß ihn gegen glitschige Steininseln, die ihm keinen Halt gaben.

Es war ein Wunder, dass Yaruk es zurück zum Ufer schaffte und er sich an Land retten konnte. Sein Fell klebte nass an seinem ausgehungerten Körper. Zitternd öffnete er das Maul und ließ Habbi vor sich auf die Erde fallen.

»Bist du verrückt?!!«, keuchte er und schüttelte das Wasser wutentbrannt von sich ab. »Was geht in deinem kleinen Kopf vor?! Wir wären beide fast da runtergestürzt!!«

Habbi krabbelte rücklings durch den Staub vor ihm davon, aber Yaruk setzte eine Pfote auf seinen Schwanz und hielt ihn auf.

»Warum rennst du vor mir weg?! Was habe ich dir getan?!«, fauchte er.

»Meine Mutter hatte recht!!«, schrie Habbi. »Du

trinkst Blut!! Ich habe deine rote Schnauze gesehen! Du bist grausam! Du hast getötet!! Ich weiß es!!« Habbi war außer sich. »Du bist wie alle Wölfe! Niemand kann dir trauen!«

Yaruk wich zurück. Er wandte sich ab und begann, rastlos hin und her zu hinken. Sein Knurren klang gequält und zornig zugleich.

»Was hast du dir gedacht? Auch wenn ich nur drei Beine habe: Ich bin ein Wolf!«

»Aber du hast gesagt, dass du keine Tiere mehr jagen kannst! Das hast du gesagt!!«

»Der Elch war schon tot!«, fauchte Yaruk. »Meine Familie hatte einen Teil von ihm übrig gelassen und sich satt zurückgezogen. Da habe ich mir heimlich ein Stück genommen. Ich musste fressen! Ich musste!! Mein Hunger war zu groß! Ich bin ein Wolf und brauche Fleisch. Es ist eben so.« Yaruk humpelte weiter hin und her. Er trat kaum mit dem verletzten Bein auf, das vom Kampf mit dem reißenden Fluss wieder schwächer geworden war.

Schließlich blieb er stehen und sah Habbi direkt an. »Aber ich würde dir nie etwas tun. Dir und deiner Familie. Keinem einzigen Erdhörnchen. Nie! Ich bin dein Freund!«

Erschöpft legte Yaruk sich hin. Um ihn herum sammelte sich eine Pfütze kalten Wassers. Und da ging Habbi erst richtig auf, dass Yaruk ihm gerade zum zweiten Mal das Leben gerettet hatte und beinahe selbst dabei ertrunken war.

Habbi strich sich über sein durchweichtes Fell. Die Wolfszähne hatten keine Spuren hinterlassen. So vorsichtig hatte Yaruk ihn im Maul getragen.

Am Maul klebte kein Blut mehr. Der Fluss hatte es abgewaschen. Nichts an Yaruk sah noch furchterregend aus. Und langsam verschwand Habbis Wut, nach und nach tropfte sie von ihm ab wie das Flusswasser.

»Ich will auch dein Freund sein«, sagte er nach einer Weile. Er schob sich zu Yaruk vor und rückte dicht an ihn heran, bis er die Wärme von dessen Bauch durch sein klammes Fell hindurch fühlte.

Dann dachte er wieder an den toten Elch.

»Du könntest doch einfach von Früchten leben. Unsere Beeren haben dir ja geschmeckt! Ich würde dir auch beim Sammeln helfen«, schlug er irgendwann vor. »Bären fressen auch Früchte, obwohl sie spitze Zähne haben«, hatte er gehört.

Yaruk schloss die Augen, als würde er darüber nachdenken. Vielleicht war er tatsächlich bereit, es zu versuchen!

Auf jeden Fall wollte Habbi fest daran glauben. Er

spürte jetzt deutlich, dass Yaruk wirklich sein Freund war, der größte und besonderste, den er hatte. Und er machte ihm keine Angst mehr.

Die Sonne kam hinter den Wolken hervor und trock-
nete den beiden das Fell. Über dem Wasserfall zauberte
sie wieder die bunten Wassertröpfchen in die Luft.

Und da fiel Habbi ein, dass sein Bruder ja auf ihn wartete!

Er sprang auf. Nur, wie sollte er goldene Kügelchen
aus der Luft fischen?! Das war unmöglich. Er wetzte
zum Flussufer und fand eine Muschelschale, die außen
schwarz und innen silbern glänzte. Das musste reichen.

»Bis morgen!«, rief er Yaruk zu. »Bis morgen!« Dann
rannte er durch den Wald zu Hebbe zurück.

»Wieso warst du so lange weg?« Hebbe hatte längst zwei
Haufen Gräser gesammelt, einen für sich und einen für
Habbi, und kaute nervös auf einem Knirschpilz.

Doch als Habbi ihm die silberne Muschelschale zeigte,
beruhigte er sich. Er betastete sie und spiegelte mit ihr
das Sonnenlicht in alle Richtungen.

»Und die goldenen Kügelchen?«, vergaß er trotzdem
nicht zu fragen.

»Die bring ich dir morgen mit«, sagte Habbi, und Hebbe gab sich glücklicherweise damit zufrieden.

Dann trugen sie die beiden Grashaufen nach Hause
und taten, als wäre nichts gewesen.

Niemals ist ein Wolf dein Freund

An jedem der nächsten Tage konnte Habbi ein bisschen Zeit bei seinem Bruder herausschlagen, um Yaruk zu besuchen. Dann ritt er auf dem Rücken seines Freundes durch die Wälder und ließ sich von ihm das Schwimmen im See beibringen. Sie liefen auch hinauf ins Gebirge und Habbi berührte zum ersten Mal in seinem Leben Schnee, von dem er eine Kugel für seine Sammlung ins Tal rollte, wo sie zu seinem Erstaunen einfach schmolz.

Das unglaublichste Erlebnis aber war der Sprung über die Schlucht. Yaruk hatte sich eine viel engere Stelle ausgesucht als damals, damit er den Sprung mit seinem schwächeren Bein auch schaffen konnte. Trotzdem waren es noch zehn Erdhörnchenlängen, die sie überwinden mussten.

Habbi sah in die Tiefe und biss sich auf die Lippe.

»Du brauchst keine Angst zu haben«, sagte Yaruk. »Ich kenne meine Kraft. Selbst wenn sie nur halb so groß ist wie früher, reicht sie für uns beide. Halt dich einfach gut fest!« Er kniete sich neben Habbi, damit er besser auf seinen Rücken steigen konnte.

»Bist du bereit?«

»Ja …«, flüsterte Habbi und grub seine Pfoten ins dicke Wolfsfell.

Dann nahm Yaruk Anlauf, rannte auf die Schlucht zu und sie hoben ab!

Habbi riss die Augen auf und der Wind blähte seine Backen. Er hatte bisher immer festen Boden unter den Füßen gehabt. Dass er jetzt wie ein Adler oder ein Falke über den Abgrund flog, stellte seine Erdhörnchen-Welt auf den Kopf. Weit unten lag die ihm vertraute Erde mit den saftigen Gräsern. Ein Sturz aus dieser ungeheuren Höhe wäre der sichere Tod gewesen. Trotzdem hatte er keine Angst. Er spürte Yaruks Mut und dessen Kraft. Zusammen mit seinem Freund schien alles möglich zu sein! Alles!

Yaruk landete sicher mit ihm auf der anderen Seite. Habbi schleuderte die Arme in die Luft und das Johlen der beiden reichte bis zu den Büffeln unten am Fluss.

Dann fraßen sie Beeren, warfen sich ins Gras und erzählten sich mit klebrigen Mäulern aus ihrem Leben. Habbi beschrieb, wie es unter der Erde war, wo man das Schmatzen der Maden und der Käferlarven hörte. Er erzählte, wie schön er das Gedränge in der Schlafhöhle fand und dass seine Schwester Humma nachts warm wie ein Stein in der Mittagssonne in ihrer Mitte lag.

Auch Yaruk erzählte von seinen Geschwistern und Habbi erfuhr, wie liebevoll sie miteinander umgingen, dass sie sich genauso ableckten wie Erdhörnchen und sich gar nicht untereinander bissen, was Hieme behaup-

tet hatte. Selbst wenn sie als wild tobende Bande inei-
nander verschlungen die Hügel hinabrollten, trug niemand einen Kratzer davon!

Alles, was Yaruk beschrieb, erinnerte so wenig an die
schrecklichen Wolfsgeschichten aus dem Erdhörnchen-
Dorf, dass Habbi sich fast wünschte, seine Mutter hätte
es hören können.

Noch oft lagen Habbi und Yaruk in diesen Tagen redend
im Gras. Aber nie hatten sie genug Zeit, weil Hebbe ja
auf Habbi wartete.

Wenn Habbi von Yaruk zurückkam, rieb er wie
gewohnt den Wolfsgeruch mit Blüten
von sich ab und brachte seinem
Bruder kleine Besonderheiten
mit: einen vom Fluss geschliffe-
nen Stein, eine Krebshülle,

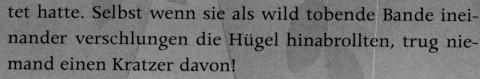

einmal sogar einen schillernden Libellenflügel, seinen Libellenflügel, den er am Rand des Sees wiedergefunden hatte.

»Du sollst mir doch goldene Kügelchen mitbringen!«, forderte Hebbe. Er wurde immer ungeduldiger.

»Die waren zu hoch in der Luft. Bin nicht drangekommen. Aber morgen!«, hielt Habbi seinen Bruder weiter hin und ließ ihn am nächsten Tag gleich wieder beim Futtersammeln stehen.

Yaruk begrüßte Habbi dieses Mal besonders stürmisch. Er jagte ihn am See entlang, überholte ihn rutschend, sprang um ihn herum. Gerade warf sich Habbi quiekend vor seinem Freund in den Staub, da übertönte ein heller Erdhörnchen-Schrei das dumpfe Donnern des Wasserfalls.

Habbi riss den Kopf herum und erstarrte: Hebbe stand an der Kante zum Ende der Welt und schaute mit angstverzerrtem Gesicht zu ihnen hinab.

»Oh nein!!«, keuchte Habbi. »Warte! Yaruk! Warte!!«

Er wollte seinen Freund davon abhalten, ihn weiter vor sich herzustupsen. Er wollte Hebbe zeigen, dass alles nur ein Spiel war, kein Kampf auf Leben und Tod. Doch da war sein Bruder bereits geflohen.

Unter Yaruks verwundertem Blick stürmte Habbi das Geröllfeld hinauf, dann weiter in den Wald hinein und hinter Hebbe her. Auf keinen Fall durfte Hebbe das Erdhörnchen-Dorf vor ihm erreichen!

»Heeebbeeee!«, kreischte er und sein Bruder drehte sich hastig um. Aber als er Habbi hinter sich herhetzen sah, rannte er nur noch schneller.

»Der Wolf ist zurück!!«, schrie er schon am Rand des Dorfs. »Der Wolf!! Er ist hinter uns her!!«

Je tiefer Hebbe ins Dorf vordrang, desto mehr Erdhörnchen blickten furchtsam zum Wald, als würde das große Unheil dieses Mal

wirklich von dort über sie hereinbrechen. »Der Wolf ist zurück! Der Wolf!! Er kommt!!«, schrien sie alle.

Dann wetzten sie zu ihren Löchern und waren kurz darauf vom Erdboden verschluckt.

Habbi sah mit Schrecken, dass sein Vater direkt hinter Hebbe in ihrem Bau verschwand. Und als er selbst in den Bau sprang, platzte er mitten in das Gedränge seiner Geschwister, die sich wie sein Vater und seine Mutter um Hebbe scharten.

»Er … er war schwarz oder grau … er wollte Habbi fressen!«, stieß Hebbe gerade hervor. »Er hat ihn hin- und hergeworfen! Es sah so schlimm aus … ich weiß nicht, wie Habbi ihm entkommen konnte!«

»Wo war das?!«, fragte Hogge-Holm scharf.

»Beim … bei einem Wasserfall!«, sagte Hebbe zu Habbis Entsetzen.

»Beim Wasserfall??!«, rief seine Mutter und funkelte ihn und Habbi wütend an. »Ihr wart beim Wasserfall??!! Du solltest auf Habbi aufpassen, Hebbe!! Wie konnte das passieren? Wie konntet ihr euch so in Gefahr bringen?! Ich hatte gesagt …«

»Nicht nur euch!!«, unterbrach Hogge-Holm sie mit seiner durchdringenden Stimme. »Ihr habt nicht nur euch in Gefahr gebracht!! Ist euch das klar?! Ihr

habt dem Wolf den Weg zu unserem Dorf gezeigt! Der Wolf wird zu uns kommen, so oft er will. Er wird sich einen nach dem anderen in unserem Dorf schnappen!«

»Das macht er nicht!«, entfuhr es Habbi.

»Und ob!«, fauchte sein Vater wütend. »Ein Wolf frisst, bis er satt ist!«

»Aber … er würde uns nie etwas tun!«, rief Habbi verzweifelt.

»Ein Wolf nimmt sich, was er kriegen kann!«, fuhr ihm sein Vater über den Mund.

»Er kann ja gar nicht mehr jagen. Er ist verletzt!«

»Verletzt?!« Hogge-Holm lachte bitter auf. »Umso mehr wird er sich über uns freuen. Er braucht bloß vor unseren Ausgängen auf uns zu warten!«

»Aber … er ist … er ist lieb. Er hat vorhin nur mit mir gespielt!«

»Schluss damit!« Hogge-Holm wurde immer zorniger. »Natürlich spielt er mit dir! Er will erst seinen Spaß haben. Dann beißt er zu!«

»Nein!«, schrie Habbi. »Nein! Das würde er nie machen! Er … er ist mein Freund!«

Die ganze Familie starrte ihn an, als hätte er den Verstand verloren.

Nachdem Hogge-Holm sich wieder gefasst hatte, sprach er langsam und deutlich mit Habbi wie mit einem Jungtier, das zum allerersten Mal den Bau verlassen wollte. Jedes seiner Worte hatte doppeltes Gewicht. »Ein Wolf ist niemals unser Freund. Merk – es – dir! Niemals – ist – ein – Wolf – dein – Freund!«

Habbi wurde schwindelig. Vielleicht würde er Yaruk nie wieder besuchen können. Vielleicht würde ihn sein Vater sogar aus dem Dorf jagen.

Doch Hogge-Holm hatte in diesem Moment viel Dringenderes im Kopf. »Wir müssen das Dorf schützen. Ich muss zur Lichtung. Alle zusammenrufen. Sofort! Wir müssen den Wolf von hier vertreiben. Hieme, du kommst mit mir. Wir brauchen jedes erfahrene Tier. Ihr jungen bewegt euch nicht von der Stelle, bis wir wieder zurück sind.«

Damit stürmte er davon und Hieme hinter ihm her.

Sie bemerkten nicht, wie Habbi zum Hinterausgang rannte, um ihnen heimlich zu folgen.

Auf der Flucht

Hogge-Holm und Hieme versammelten so viele erfahrene Erdhörnchen wie möglich um sich und rannten mit ihnen in den Wald, ständig auf der Hut vor dem Wolf. Mit ihren warnenden Rufen scheuchten sie unzählige Tiere auf, die selbst jederzeit zur Beute werden konnten. Sie alle kamen auf einer Lichtung zusammen und Hogge-Holm blickte in die beunruhigten Gesichter von Pfeifhasen, Wildschweinen, Elchen und Hirschen.

»Wir sind in großer Gefahr!«, rief er kurzatmig. »Ein Wolf ist hier! Meine Jungen haben ihn gesehen! Er wollte sie fressen! Er hat sie verfolgt, jetzt weiß er, wo unser Dorf liegt. Er ist in unserer Nähe, beim Wasserfall!«

»Beim Wasserfall?!«, schrillte ein Pfeifhase. »Wie … wieso ist er hier! Wieso ist er nicht im Wolfstal?!«

»Weil er verletzt ist«, zischte Hogge-Holm. »Er muss

zurückgeblieben sein, vielleicht bei einem Streifzug. Umso gefährlicher ist er für uns. Eine leichtere Beute findet er nicht. Uns wird er kriegen!«

Die Pfeifhasen rückten dichter zusammen.

»Ein verletzter Wolf?«, grunzte eines der Wildschweine. »Ihr habt Angst vor einem verletzten Wolf? Ihr seid klein und seht die Welt von unten. Euch kommt alles groß und gefährlich vor. Ein verletzter Wolf ist nichts! Nichts als ein jammerndes Stück Fell!«

Hogge-Holm rang nach Luft.

»Er ist nicht nur für uns gefährlich!«, rief er aufgebracht. »Vielleicht wird er wieder zu Kräften kommen. Und sein Heulen könnte das ganze Rudel anlocken! Wenn ein Wolfsrudel in diesen Wald eindringt, ist nicht nur unser Dorf verloren! Euch alle können sie kriegen!«

Die Hirsche schnaubten.

»Es stimmt!«, röhrte einer von ihnen. »Wenn es viele sind, reißen sie jeden nieder. Auch uns.«

Die Hirsche kannten das Wolfstal. Sie hatten dort einen Großteil ihrer Herde durch Wölfe verloren und waren in dieses abgelegene Stück Wald gezogen, um endlich sicher vor ihnen zu sein. »Sie locken uns in Hinterhalte, trennen uns von den anderen, die jüngsten und schwächsten zuerst. Die Wölfe sind unser Tod.«

Die Worte der Hirsche wühlten jetzt auch die Wild-

schweine auf. »Verdammte Wolfsbrut!«,
schnauzten sie gereizt. Sie zerfurchten den
Boden mit ihren Hauern und brachten damit
noch mehr Aufregung in die Menge.

»Was sollen wir denn tun?«, japste einer der Pfeifhasen.

»Wir fliehen und suchen uns andere Höhlen! Noch
weiter weg vom Wolfstal!«, schlug sein Nachbar vor.

»Nein!«, rief Hogge-Holm. »Wir werden das nicht
tun. Unser Dorf ist viel zu groß. Wir
müssen ihn vertreiben! Alle zusammen! Ihr großen Tiere müsst
uns helfen.«

Ein gewaltiger Hirsch zerstampfte das Gras.

»Wir haben harte Hufe und spitze Geweihe. Der Wolf soll sie zu spüren bekommen!«, rief er bitter. »Nie wieder soll er uns jagen können. Nie wieder!«

Das zustimmende Röhren und Stampfen der Elche drang in den Wald und Habbi zuckte in seinem Versteck zusammen.

Er hatte schon eine schreckliche Vorahnung gehabt. Doch was er am Rand der Lichtung hinter den Farnen

mit angehört hatte, war noch viel schlimmer als alles, was er sich hätte ausmalen können.

Taumelnd lief er tiefer ins Unterholz hinein. Er musste Yaruk warnen! Hinter ihm nahm der Lärm auf der Lichtung zu. Auch die anderen Tiere fielen grunzend oder mit schrillem Pfeifen in das Stampfen und Röhren ein.

Jetzt rannte Habbi. Die Zweige schlugen ihm ins Gesicht, er stolperte und wühlte sich durchs Laub. Er musste schneller sein als sie. Schneller als die wütende Meute, die in diesem Moment von der Lichtung Richtung Wasserfall lospreschte.

Habbi überholte sich selbst, seine Hinterbeine flogen bei seinen Sprüngen weit nach vorne an seinem Kopf vorbei. Er fiel, kugelte weiter, nahm Abkürzungen durch Brennnesselbüsche und Tannennadelfelder, dann hetzte er das Geröllfeld hinab.

»Yaruk!!«, schrie er. »Yaruk!! Yaruk!!«

Atemlos und außer sich erreichte er seinen Freund bei der Wolfshöhle.

»Du musst fliehen!«, platzte es aus ihm heraus.

Yaruk hob verwundert den Kopf. Er verstand nicht.

»Sie wollen dich töten! Töten!!«

»Wer? Wer will mich töten?«

»Die Hirsche und Elche, alle Tiere im Wald!!« Habbi zeigte zum Waldrand neben dem Wasserfall.

Yaruk kam auf die Beine. Doch statt um sein Leben zu rennen, stieg er auf den kleinen Felsen vor der Höhle, um von dort jedem, der ihn herausfordern wollte, die Stirn zu bieten.

»Lauf! Renn doch endlich weg!! Bitte!!«, flehte Habbi ihn an.

Da tauchte die Meute oben an der Kante neben dem Wasserfall auf. Dampf stieg aus dem verschwitzten Fell der Tiere. Als sie Yaruk auf dem Felsen entdeckten, bäumten sich die Hirsche auf, ihre schweren Geweihe schlugen krachend aneinander und die Wildschweine

jagten das Geröllfeld
hinab, ohne Rücksicht auf
ihre Knochen.

Es war aussichtslos, sich dieser Horde entgegenzustellen. Das musste auch Yaruk einsehen.

Habbi sprang auf seinen Rücken und zog und zerrte an seinem Fell. »Renn doch!!«, schrie er. »Renn!!« Und endlich rannte Yaruk, rannte von der Wolfshöhle weg, den Hügel nach unten, ins unwegsame Gelände.

»Wir müssen zur Schlucht«, keuchte er. »Wir müssen es bis dahin schaffen!«

Doch mit Yaruks schwächerem Bein waren sie nicht schnell genug. Ihr Vorsprung schmolz. Immer näher kam die rasende Meute, die hinter ihnen durchs Unterholz brach oder mit harten Hufen über Steinplatten galoppierte.

»Schneller!! Schneller!!«, trieb Habbi Yaruk verzweifelt an.

Sie hörten schon das Schnauben und Schnaufen ihrer Verfolger hinter sich, als sie die Schlucht erreichten,

genau an der Stelle, an der Yaruk den Todessprung gewagt hatte. Hier war die Schlucht
schroff und breit. Zu dem engeren Teil konnten
sie nicht mehr gelangen.

Yaruk hastete hin und her. Wenn er den Sprung
nicht schaffte, würde er Habbi mit in die Tiefe
reißen …

Er zögerte zu lange. Habbi drehte sich um
und sah, wie eine Wand wutschnaubender
Tiere auf sie zujagte. Mit einem weiten Satz
sprang er von Yaruk ab, stellte sich vor ihn
und streckte seine Ärmchen abwehrend der
Meute entgegen, als könnte er sie so auf-
halten.

»Ihr dürft ihn nicht
töten!!«, schrie er.

»Waaarteeeet!!«

Tatsächlich stemmten die Hirsche, Elche und Wildschweine ihre Hufe in den Boden, schrammten durch
den Staub und kamen kurz vor Habbi zum Stehen. Jedoch nicht seinetwegen. Es war die
furchterregende Schlucht, die die
Tiere davon abhielt, den Wolf in
ihrer blinden Wut einfach zu über-
rennen.

Im Geweih des vordersten Hirschs
hatten sich Hogge-Holm und
Hieme festgeklammert,
die Augen weit aufge-
rissen. Sie waren die
Ersten, die ihren Sohn
entdeckten, nachdem
der Staub sich gelegt
hatte.

»Habbiiii??« Hiemes
Stimme überschlug
sich. »Habbiiii??!!
Was … was um
Himmels wil-
len machst du
hier??!«

Jetzt bemerkten auch die anderen Tiere das Erdhörnchen, das ihnen die Arme fuchtelnd entgegenstreckte: »Ihr dürft ihn nicht töten!! Bitte nicht!!«, schrie es wieder und wieder. »Tut ihm nichts!! Er ist mein Freund!! Mein Freund!!«

Yaruk hatte die Zähne gefletscht. Wie ein Freund sah er nicht aus. Geduckt und bedrohlich stand er in Habbis Rücken.

Die letzten Pfeifhasen und Erdhörnchen, die die Schlucht gerade erst erreicht hatten, hasteten gleich wieder zurück und gingen in Deckung, als sie den zähnefletschenden Wolf sahen.

»Komm zu uns, Habbi!!«, flehte Hieme. Halb fiel, halb sprang sie vom Hirschgeweih und wagte sich so weit zu ihrem Sohn vor, wie es das Knurren des Wolfs zuließ. »Schnell!! Habbi!! Komm sofort her!!«

Aber Habbi rührte sich nicht von der Stelle.

»Geh! Geh schon!«, fauchte Yaruk ihm zu. »Dann bist du in Sicherheit.«

»Nein!«, keuchte Habbi. »Ich lass dich nicht alleine!«

Der größte unter den Hirschen senkte zornig sein Geweih.

»Aus dem Weg!«, röhrte er. Dann stürmte er auf den Wolf zu.

Im letzten Moment sprang Habbi auf Yaruks Rücken,

Yaruk rannte zum Rand der Schlucht und stieß sich ab.

Von den großäugigen Blicken der Tiere verfolgt, flogen die beiden über den Abgrund. Es sah nicht aus, als könnten sie die andere Seite erreichen. Yaruk streckte sich, riss die Beine nach vorne. Vielleicht war es der Gedanke, dass sein Freund nicht abstürzen durfte, der ihm die Kraft gab, gerade noch die Felskante unter die Pfoten zu bekommen und sie beide hinüberzuretten. Dann überschlug er sich, rutschte und rollte mit Habbi durch den Staub, bis sie reglos liegen blieben.

Auf der anderen Seite der Schlucht wurde es totenstill, als der Wolf nach einer Weile wieder auf die Beine kam und sich über das Erdhörnchen beugte. Die Tiere sahen ungläubig zu, wie er es vorsichtig mit dem Maul packte, um es zu einem weichen Grasfleck zu tragen. Dort setzte er es ab, leckte ihm den Dreck vom Fell und richtete es mit seiner Schnauze auf.

Das Erdhörnchen torkelte ein wenig und rieb sich Augen und Kopf. Dann legte es seine Arme wie selbstverständlich um das Wolfsmaul.

Hogge-Holm schüttelte sich mehrmals kräftig. Und Hieme stand starr neben ihm, als warte sie darauf, dass der Wolf gleich sein wahres, fürchterliches Gesicht zeigte. Aber er leckte weiter über Habbis Fell, wie sie es wohl selbst getan hätte.

Schließlich richtete sie sich kämpferisch auf und rief: »Gib mir meinen Sohn zurück!! Gib ihn mir sofort zurück!!«

Da sprang Habbi mit großen Sätzen zum Rand der Schlucht.

»Ich komme nur mit Yaruk zusammen!«, schrie er allen Tieren entgegen. »Ich komme nur, wenn ihr ihm nichts tut! Weil er mein Freund ist!!«

Der Hirsch, der bei seinem wilden Angriff fast selbst in den Abgrund gerutscht war, trat mehrere Schritte zurück. Was auch immer dieses Erdhörnchen mit dem Wolf verband, es schien ihm nicht geheuer.

»Der Wolf bleibt drüben«, dröhnte er unerbittlich. »Ich will ihm nie wieder auf unserer Seite der Schlucht begegnen!«

Die Entscheidung war damit gefallen. Mit hoch erhobenem Haupt wandte der Hirsch sich seiner Herde zu und ihr gemeinsames Röhren erfüllte die Luft. Dieses Mal hatten sie das Kräftemessen mit einem Wolf gewonnen und so trabten sie langsam und stolz davon.

Die Wildschweine grunzten mürrisch, als wüssten sie nicht recht, was sie von alldem halten sollten. Aber weil die Hirsche das Sagen hatten, traten auch sie den Rückzug an und die Elche trotteten nachdenklich hinterher.

Hieme blieb nichts anderes übrig, als hilflos zuzusehen, wie Habbi zum Wolf zurücklief, unter seine Pfote kroch und nicht wieder darunter hervorkam.

Im Niemandsland

Habbi beschloss, nicht zum Erdhörnchen-Dorf zurückzukehren. Er hätte am Ende der Schlucht auf die andere
Seite gelangen können, wie er es schon einmal nach seinem ersten Sprung mit Yaruk getan hatte. Aber er wollte seinen Freund nicht alleine lassen. Das hätte sich für
ihn noch schlimmer angefühlt als das Heimweh, das ihn
gleich am ersten Abend packte.

Habbi sprach sich Mut zu. Er sagte sich, dass er keinen Bau in der Nacht brauchte. Er würde hier draußen
schlafen, allen Erdhörnchen-Ängsten zum Trotz. Yaruks Pfote würde seine sichere Höhle sein und tagsüber
würde sich niemand an ihn heranwagen, wenn Yaruk in
seiner Nähe war. Neben ihm würde er sich auch nicht
alleine fühlen. Mit ihm zusammen zu sein, wünschte er
sich doch!

»Geh ruhig zu ihnen zurück«, sagte Yaruk, der ja wissen musste, wie schwer es war, von der eigenen Familie getrennt zu sein. Aber Habbi blieb und Yaruk konnte seine Erleichterung darüber nicht verbergen.

So richteten sie sich auf ihrer Seite der Schlucht ein, in diesem Niemandsland zwischen dem Wolfstal und dem Wald der Hirsche.

In den nächsten Tagen kamen immer wieder Tiere zur Schlucht und schauten zu dem seltsamen Paar hinüber oder beobachteten es aus der Luft. Im Wald und in der Prärie sprach sich herum, dass die beiden sich nicht von der Seite wichen. Es wurde erzählt, dass der Wolf

das Erdhörn-
chen auf sei-
nem Rücken und
manchmal sogar in
seinem Maul spazieren
trug und dass sie sich aus
Spaß jagten. Es gab auch das
Gerücht, dass sie sich gemeinsam durch Beerenhecken fraßen
und der Wolf nur von Früchten
lebte.

Bloß die Vögel behaupte-
ten, er würde von Zeit zu
Zeit heimlich ins Wolfs-
tal schleichen, um dort
seinen Fleischhunger zu
stillen.

Die jüngeren Tiere im Erd-
hörnchen-Dorf sprachen von Habbi wie von einem Helden. Die meisten älteren hielten ihn für verrückt.

Hogge-Holm wollte vorerst nichts mehr von seinem
Sohn wissen. Die Geschwister aber vermissten ihren
Bruder. Besonders Hebbe. Er lief bedrückt die Futter-
pfade entlang, als wäre er an allem schuld. Dabei hatte

er beim Wasserfall ja nicht ahnen können, dass der Wolf seinen Bruder gar nicht töten wollte.

Nachts holte Hebbe die Schätze, die Habbi ihm geschenkt hatte, unter seinem Strohlager hervor. Wie Habbi hatte er eine geheime Sammlung angelegt. Und wenn er die silberne Muschelschale oder den schillernden Libellenflügel in den Pfoten hin und her drehte, gingen ihm die Geschichten von seinem Bruder und dem Wolf durch den Kopf, die überall im Dorf erzählt wurden, und er hoffte, dass es Habbi gut ging.

Natürlich durfte er nicht zur Schlucht, um alles mit eigenen Augen zu sehen. Nur Hieme nahm den gefährlichen weiten Weg auf sich, so oft sie konnte. Dann kletterte sie auf einen Baum am Rand der Schlucht und wartete, bis sie wenigstens ein bisschen von ihrem Sohn sah. Seinen Schwanz, der durch hohe Gräser wippte, seine Schnauze, die unter der Pfote des ruhenden Wolfs hervorguckte. Jedes Mal seufzte sie dann erleichtert, als wäre es ein Wunder, dass er noch lebte.

An Tagen, an denen Habbi nicht auftauchte, raufte sie sich die Sorgenstelle am Hinterkopf noch kahler.

Aber je häufiger sie die beiden zusammen sah, desto mehr glaubte sie daran, dass der Wolf Habbi nicht fressen würde und dass es ihre Freundschaft wirklich gab.

Dafür zogen neue, große Sorgen auf: Die Blätter hatten sich bereits verfärbt. Der Winter stand bevor. Und Habbi konnte nicht ewig dort drüben bleiben. Sie musste ihn rechtzeitig zurückholen und begann, ihn zu rufen …

Der Abschied

Habbi lag unter Yaruks Pfote, als die Stimme seiner Mutter über die Schlucht schallte. Er war inzwischen dicker geworden und oft auch tagsüber müde. Im Halbschlaf dachte er erst, er träume wieder von zu Hause. Er sah Hieme, seine Geschwister und die Schlafhöhle mit seinem Strohlager vor sich. Dann war er plötzlich hellwach. Er kroch unter Yaruks Pfote hervor und lauschte dem Klang der vertrauten Stimme. Sie zog ihn vom schlafenden Yaruk fort, hin zum Rand der Schlucht.

Als er seine Mutter sah, vergaß er beinahe den Abgrund zwischen ihr und ihm und rannte auf sie zu. Im letzten Moment erst hielt er an.

»Habbi!!«, rief Hieme. »Habbi!!«

Eine Zeit lang standen sie sich gegenüber und sagten nichts.

»Habbi!
Komm bitte
zurück!«, fleh-
te Hieme irgend-
wann. »Ich verstehe jetzt,
dass der Wolf dein Freund
ist. Aber der Winter ist bald
da! Du wirst schlafen müssen. Lange
schlafen, bis die Blumen wieder wachsen. Dafür
brauchst du eine Schlafhöhle in der Erde unter
dem Schnee. Du brauchst unsere Vorräte, wenn
du zwischendurch aufwachst und hungrig bist.
Du brauchst deine Geschwister, die dich wärmen. Und wir brauchen dich auch.«

Jetzt schnürte das Heimweh Habbis Hals zu. Er
vermisste den Geruch seiner Mutter, das Gedränge
mit seinen Geschwistern, Hummas warme Wampe, die Schlafhöhle, den Duft nach Heu, seine
geheime Sammlung, das ganze Erdhörnchen-
Dorf mit dem Gewusel und den bekannten,
ausgetretenen Wegen. Er vermisste das alles!

»Du siehst müde aus, mein Junge. Du hast
nicht mehr viel Zeit, bevor du einschläfst.
Ich werde auf dich warten. Überleg es dir.
Bitte!«

Habbi brachte kein Wort heraus. Er stand reglos da und schaute mit großen Augen über den Abgrund zu seiner Mutter.

»Da bist du ja! Wo warst du?«, fragte Yaruk, als Habbi zu ihm zurückkehrte. Sein kleiner Freund schaute zu Boden und Yaruk erriet sofort, was ihn bedrückte: »Du willst zu deinem Dorf zurück …«, raunte er. Schon seit Längerem stand Habbi das Heimweh ins Gesicht geschrieben. »Du willst zurück zu deiner Familie.«

Habbi nickte traurig und verwirrt.

»Meine Mutter sagt, dass der Winter kommt. Sie sagt, dass ich schlafen werde, bis die Blumen wieder wachsen, und dass ich eine Höhle brauche.«

Yaruk schwieg. Ein Wolf wusste, dass die meisten kleinen Bodentiere den ganzen Winter unter der Erde verbrachten. Aber Yaruk schien erst jetzt klar zu werden, dass Habbi ihn bald verlassen musste.

Um sie herum waren die Gräser

längst verblüht. Ihre Samen warteten schon auf den nächsten Frühling. Es konnte nicht lange dauern, bis der Schnee kam. Yaruk würde alleine durch den Winter gehen müssen. Er legte die Schnauze auf seine Pfoten: Das war sicher das Einsamste, was er sich vorstellen konnte.

»Deine Mutter hat recht«, sagte er trotzdem. »Du brauchst eine Höhle im Winter. Du brauchst die Wärme deiner Familie.« Es stimmte ja, dass Habbi von Tag zu Tag müder wurde. Und Yaruk konnte ihn nicht den ganzen Winter über unter seiner Pfote wärmen.

Nachdenklich schielte er auf sein Hinterbein. »Aber alleine will ich den Winter hier nicht verbringen«, sagte er und überlegte. »Meinem Bein geht es wieder viel besser. Ich hinke kaum mehr. Vielleicht kann ich so zu meiner Familie zurück. Ja. Ich glaube, ich werde es versuchen.«

»Dann bist du weg und ich bin weg und wir sehen uns nie wieder ...«, murmelte Habbi.

»Doch!«, entgegnete Yaruk. »Natürlich! Im Frühling! Wir treffen uns an diesem Ort! Wenn die ersten Gräser blühen! Ich verspreche dir, ich werde hier sein und nach dir schauen!«

Der Frühling war für Habbi noch so weit entfernt. So weit. Aber er wollte Yaruk glauben und nahm sich fest vor, an diesen Ort zurückzukehren, sobald er aus dem Winterschlaf erwachte.

Der Gedanke daran, seinen Freund im Frühling wiederzutreffen, tröstete ihn auf jeden Fall.

Es war die letzte Nacht, die Habbi unter Yaruks Pfote verbrachte. Er kämpfte gegen seine Müdigkeit an und versuchte, sich einzuprägen, wie es war, so dicht bei seinem Freund zu liegen.

Kurz vor dem Morgengrauen, während die meisten Tiere noch schliefen, brachen sie

auf und schlichen am Ende der Schlucht auf die
andere Seite.

Sie kamen am Wasserfall und dem Geröllfeld vorbei, ließen den See und auch Yaruks alte Höhle hinter sich, die leer und verlassen dastand.

Habbi begleitete seinen Freund bis zu dem Felsvorsprung, von dem aus das Wolfstal zu sehen war.

Dort beschnupperten sie sich lange und ausgiebig. Ihr Geruch war das Kostbarste, das sie sich mit
auf den Weg geben konnten. Er würde die Erinnerung
an all ihre gemeinsamen Erlebnisse wachhalten. Und er
würde sie zusammenführen, wenn sie die Spuren des
anderen suchten.

Ein letztes Mal sah Yaruk Habbi an. Sein klarer Blick
ließ keinen Zweifel daran, dass sie sich im Frühling wiedersehen würden.

Dann drehte er sich um und lief ins Wolfstal hinab.

Von oben sah Habbi, wie Yaruk auf die Mitte des Tals zurannte. Die Ebene war leer, das Gras abgefressen. Die Bisons und Elche waren weitergezogen.

Yaruk reckte den Kopf hoch und begann zu heulen.

Es dauerte nicht lange, da tauchte das Rudel am Waldrand oberhalb des Hangs auf. Elf Wölfe, die den Hang nach unten jagten, als hielten sie Yaruk für einen Eindringling in ihrem Revier.

Bevor das Rudel die Mitte des Tals erreichte, warf Yaruk sich unterwürfig auf den Rücken und bot seine Kehle an.

Habbi wollte nicht hinschauen und beobachtete dann doch, wie die Wölfe Yaruk umringten. Sie beißen ihn, dachte er, sie bringen ihn um! Doch dann wurde aus dem bedrohlichen Knurren ein aufgeregtes Gewinsel.

Das ganze Rudel beschnüffelte
Yaruk, fing an, ihm die Schnauze zu lecken. Die Geschwister
machten Luftsprünge, rannten um
ihn herum und fielen in Scharokans und Sirkas Jaulen ein.

Yaruk tobte mit seinen Geschwistern zusammen durchs Tal. Er war wieder einer von
ihnen. Noch einmal drehte er sich zu Habbi um. Dann war er mit seinem Rudel
im Wald verschwunden.

Winterschlaf

Den ganzen Rückweg zum Erdhörnchen-Dorf dachte Habbi an die große Freude, die das Wolfsrudel bei Yaruks Wiederkehr gezeigt hatte. Ob seine Familie ihn auch so empfangen würde? Aufgeregt und ein wenig unsicher machte er die ersten Schritte über den ausgetretenen Futterpfad.

Auf dem Weg durchs Dorf schauten ihn manche Erdhörnchen verblüfft an. Es gab argwöhnische und bewundernde Blicke. Und die jüngeren Erdhörnchen huschten neugierig hinter ihm her. Sie alle hatten die Geschichten über Habbi und den Wolf gehört.

Plötzlich wetzte Hogge-Holm an der Grenze zu seinem Revier auf Habbi zu. Er baute sich vor ihm auf und schüttelte sich, als wollte er nicht glauben, dass dieser Junge den Fängen des Wolfs entkommen war. Worte fand er nicht. Er nickte Habbi nur einmal zu, dann ließ er ihn an sich vorbei in sein Revier laufen wie einen sonderbaren Gast.

Hebbe war der erste der Geschwister, der Habbi entdeckte. »Habbi!«, schrie er und rannte seinen Bruder einfach um. Er war inzwischen genauso dick wie Humma, die sich gleich als Nächstes auf Habbi stürzte. Dann kamen noch die drei anderen Geschwister dazu.

Mit einem großen Satz war auch Hieme aus dem Bau gesprungen und sah gerade noch, wie die Geschwister Habbi unter sich begruben.

Dann war endlich sie an der Reihe. Sie ließ sich alle Zeit der Welt, um Habbi abzulecken und zu beschnuppern. Der Wolfsgeruch, den Habbi diesmal nicht mit Blütenduft überdeckt hatte, schien sie überhaupt nicht zu stören.

»Danke!! Danke, dass du zurückgekommen bist, Habbi!«, sagte sie und Habbi vergrub seine Schnauze in ihrem Fell.

Von jetzt an verbrachten sie die Tage fast nur noch im Bau. Wampe an Wampe drängten sie sich in der Schlafhöhle und Habbi wurde mit Fragen überhäuft. Alle wollten unbedingt erfahren, was er mit dem Wolf erlebt hatte.

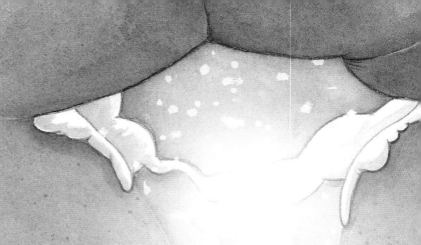

»Du hast sein Bein einfach von dem Geröll befreit?«
»Hattest du keine Angst?«
»Ihr seid über die große Schlucht gesprungen??!!«
»Wieso konnte Yaruk nicht zu seiner Familie zurück?«
»Er hat dir das Schwimmen beigebracht?«
»Wie hat er dich vor dem Wasserfall gerettet?!«
»Er hat dich in sein Maul genommen??!«

Habbis Geschichten waren so spannend, dass sie den Winterschlaf immer weiter hinauszögerten. Die Geschwister starrten in die Dunkelheit der Schlafhöhle und erlebten das nach, was Habbi ihnen erzählte. Und wohl zum ersten Mal sahen sie Wölfe mit anderen Augen.

Irgendwann aber, als die Geschwister jede Frage mehrfach gestellt hatten und Habbi heiser wurde, schlich sich dann doch noch die große Müdigkeit ein.

Mit der Zeit gingen die Erzählungen in Träumereien

über. Es wurde ruhiger in der Schlafhöhle, bis schließlich alle schwiegen.

Habbi schlief als Letzter ein. An seine Geschwister und seine Mutter gekuschelt dachte er noch einmal an seinen Freund. Er hatte Yaruks Geruch in der Nase, fühlte sein Fell zwischen den Pfoten und sah sich mit ihm über die Schlucht fliegen. Vielleicht träumte er das aber auch schon.

Bald sollte der Schnee über dem Erdhörnchen-Dorf liegen. Und wenn alles gutging, würden sich Habbi und Yaruk im Frühling wiedersehen. Auf der anderen Seite der Schlucht, hinter dem Ende der Welt.

Mein größter Dank gilt
meiner Frau Angela,
die meine Bücher intensiv lektoriert und begleitet.
Dann haben mir auch die Einschätzungen
meiner Tochter Juli und die Ratschläge
meiner Eltern sehr geholfen,
ebenso die guten Kommentare von Judith Ruyters
und wie immer das Lektorat von
Bettina Körner-Mohr.

Von Oliver Scherz bereits erschienen:
Wir sind nachher wieder da, wir müssen kurz nach Afrika
Ben.
Ben. Schule, Schildkröten und weitere Abenteuer
Wenn der geheime Park erwacht, nehmt euch vor Schabalu in Acht
Keiner hält Don Carlo auf
Drei Helden für Mathilda

Weitere Titel von Oliver Scherz und mehr über unsere Bücher,
Autoren und Illustratoren auf: www.thienemann.de

Scherz, Oliver:
Ein Freund wie kein anderer
ISBN 978 3 522 18457 1

Gesamtgestaltung: Barbara Scholz
Einbandtypografie: designabdrei, Sabine Reddig
Innentypografie: Bettina Wahl
Reproduktion: HKS-Artmedia GmbH, Leinfelden-Echterdingen
Druck und Bindung: Livonia Print, Riga

© 2018 Thienemann
in der Thienemann-Esslinger Verlag GmbH, Stuttgart
Printed in Latvia. Alle Rechte vorbehalten.
12. Auflage 2019

EINE PHANTASTISCHE WELT VOLL COWBOYS, INDIANER, DINOSAURIER & RIESEN

Oliver Scherz

Wenn der geheime Park erwacht, nehmt euch vor Schabalu in Acht

144 Seiten · Gebunden
ISBN 978-3-522-18445-8

Wie still und verwunschen es hier ist! Mo und seine Geschwister Kaja und Jonathan haben richtig Gänsehaut, als sie in den verlassenen Vergnügungspark klettern.
Um sie herum leere Schießbuden, ein zugewuchertes Karussell und ein altes Riesenrad. Da erwacht der ganze Park plötzlich zum Leben. Dinosaurier, Indianer, Wahrsager und Riesen tauchen auf.
Und in der Ferne leuchtet ein Schloss. Magisch zieht es die Geschwister an. Denn in dem Schloss lebt der große Schabalu. Und der verdreht allen den Kopf ...

THIENEMANN
Wir schreiben Geschichten!

www.thienemann-esslinger.de

BEN UND HERR SOWA – ZWEI WUNDERBARE HELDEN

Oliver Scherz
Ben. Alle Abenteuer

208 Seiten · Gebunden
ISBN 978-3-522-18481-6

Ben ist Indianer, Baumhaus-Eroberer und Buchstaben-Bezwinger. Ob er beim Kinderarzt mit einer Spritze oder im Badezimmer mit einer Überschwemmung zu kämpfen hat – sein bester Freund, die Schildkröte Herr Sowa, ist immer an seiner Seite. Genau wie Ina, seine Indianerfrau, die in der Schule direkt neben ihm sitzt. Gemeinsam erleben sie die unglaublichsten Abenteuer!

Zwei Ben-Bücher im Doppelband zum Vorlesen.

THIENEMANN
Wir schreiben Geschichten!

www.thienemann.de

WENN EIN ELEFANT ANS FENSTER KLOPFT ...

Oliver Scherz

**Wir sind nachher wieder da,
wir müssen kurz nach Afrika**

112 Seiten · Gebunden
ISBN 978-3-522-18336-9

Was tut man, wenn spätabends ein Elefant ans Fenster klopft? Wenn dieser Elefant aus dem Zoo ausgebrochen ist, um seine Großfamilie in Afrika zu besuchen? Und wenn er gar nicht weiß, wo Afrika überhaupt liegt?
Man packt Äpfel, Kekse und einen Globus in den Rucksack und begleitet ihn. Genau das tun Joscha und Marie.
So weit wird Afrika nicht sein, denken sie und erleben eine Reise, die alles übertrifft, was sie sich vorgestellt haben.

THIENEMANN
Wir schreiben Geschichten!

www.thienemann.de